PAR
KO
UR

GUÍA DE
PARQUES
DE PARKOUR

Bizkaia
foru aldundia
diputación foral

4

Índice

CALISTENIA DIPUTACIÓN

01

INTRODUCCIÓN

1.
INTRODUCCIÓN

La creciente popularidad del parkour genera cada vez un mayor número de proyectos que incorporan parkourparks en espacios públicos pero el desconocimiento general y, al menos en territorio Español, la relativa falta de precedentes generan confusión sobre cómo deben ser y funcionar las instalaciones públicas de parkour al aire libre. Por ello no es raro encontrar estructuras deficientes, peligrosas, en desuso por la ciudadanía o sin interés para sus aficionados y aficionadas.

Ya seas un arquitecto paisajista tratando de ubicar un parkourpark en tu plan, un deportista conceptualizando un proyecto o un técnico de urbanismo considerando un área de parkour para tu municipio, esperamos que esta guía te sea de gran utilidad. Sin embargo, su lectura y aplicación no exime de que ingenieros o arquitectos revisen los diseños y construcciones generadas, ni su aplicación y seguimiento es responsabilidad de los autores de la guía en caso de cualquier incidencia, deficiencia ni situaciones de análoga naturaleza.

En esta guía se hace referencia exclusiva a los parkourparks públicos, exteriores y permanentes. No se refiere a material portátil o estructuras desmontables de eventos, ni a instalaciones interiores de polideportivos o centros deportivos privados, si bien dichos parkourparks también pueden beneficiarse de aplicar el contenido de la guía.

Objetivos de la guía

Bienvenidos y bienvenidas a la guía de parkourparks del programa KIROLGUNEAK de la Diputación Foral de Bizkaia. Tras la lectura de este documento:

1. Conocerás mejor la actividad de parkour/ADD, su práctica y sus riesgos y beneficios.

2. Entenderás la funcionalidad de un parkourpark y lo necesario para que este sea de la mejor calidad y usabilidad.

3. Sabrás que normativa exigir en la elaboración de un proyecto, así como valorar y optimizar las diferentes opciones que se presenten para él.

4. Podrás valorar dinamizar o complementar el uso de la instalación en caso de desearlo.

¿Qué es exactamente un parkourpark y por qué es interesante?

Un **parkourpark** o área de parkour es una instalación deportiva formada por diversidad de obstáculos tales cómo muros, barandillas, paredes, andamios y otros de diferentes configuraciones, alturas, materiales y distribuciones apropiadas e interesantes que replican otros obstáculos de la calle óptimos para la práctica deportiva en cuestión. Al igual que los skateparks y los rocódromos, son un poco contradictorios para una actividad que surge de espacios no preparados como la calle o la naturaleza y actúan como complemento y no como sustitución de las zonas de entrenamiento habituales.

Bizkaia
foru aldundia
diputación foral

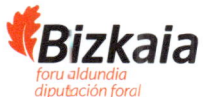

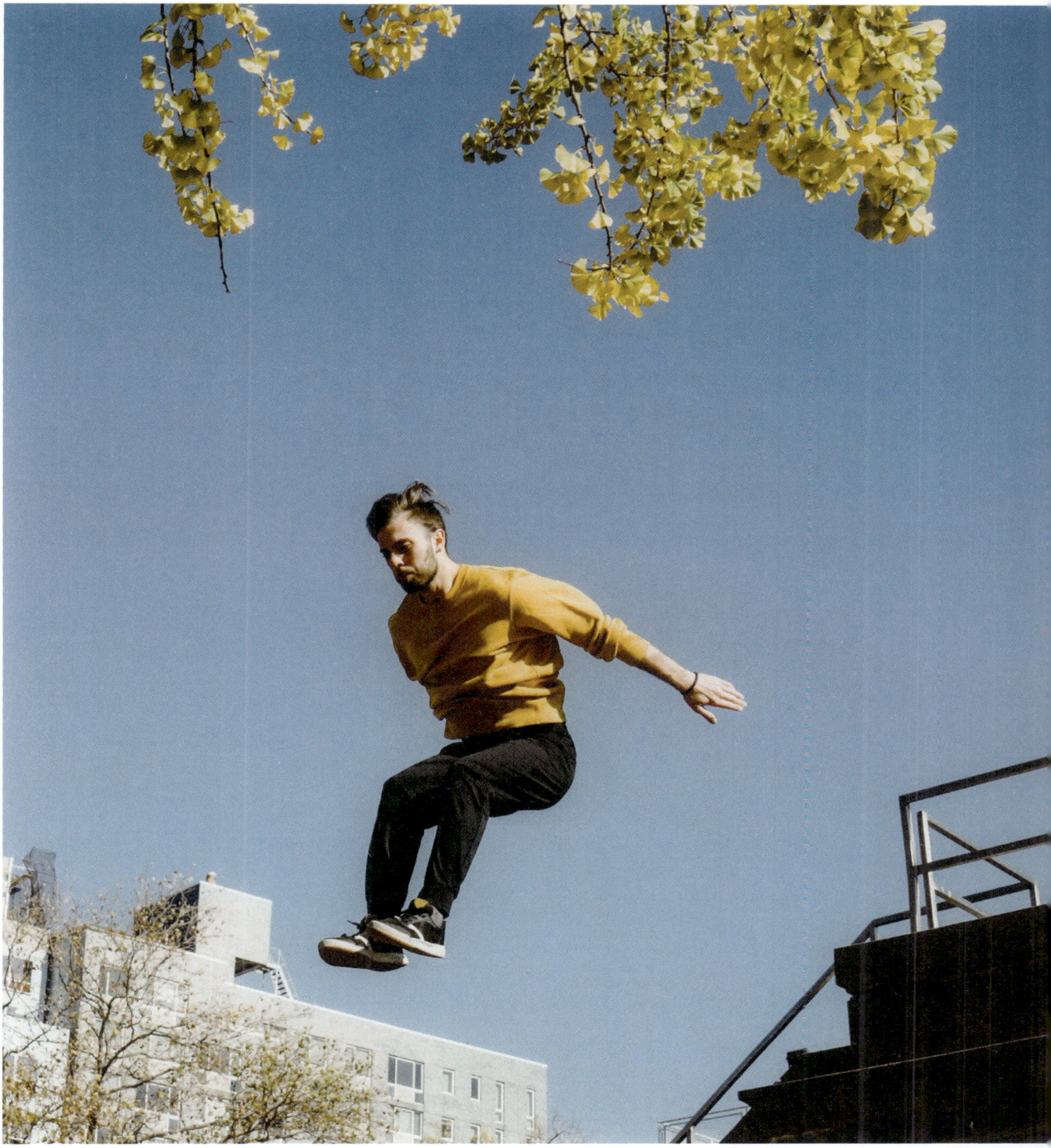

La realidad es que hablamos de actividades recreativas de calle que no se limitan a ninguna pista predeterminada sino que buscan activamente entornos y combinaciones variadas y diferentes de obstáculos y principalmente se practican mediante auto-aprendizaje y libre de competición. En ese sentido, los parkourparks están ideados para fomentar la práctica segura del arte del desplazamiento, suman a las opciones de ocio existentes de los y las deportistas y facilitan la iniciación infantil o de personas novatas. Al crear espacios con opciones diferentes y exclusivas a lo habitual en la calle, los buenos parkourparks son de alto valor y aprecio para los y las aficionadas habituales que eligen entrenar en él y fuera de él. Asimismo, pueden doblar su uso como lugar de entrenamiento de calistenia y de otras disciplinas o juegos.

El **arte del desplazamiento** consiste en la interacción creativa con los obstáculos del entorno mediante todo tipo de movimientos. Concretamente el **parkour** consiste en desplazarse de un lugar a otro con control, velocidad y eficiencia mediante habilidades naturales como correr, gatear, saltar, deslizar o trepar. Tiene origen en el entrenamiento militar y la necesaria navegación de obstáculos en el medio hostil y campo de batalla y nace con el objetivo de dotarde habilidades útiles en situaciones de emergencia como la auto-protección o ayuda a terceros.

Paralelamente, el **freerunning** es la versión de estilo más libre, creativo y acrobático y da cabida, además, a toda clase de trucos, saltos mortales, elementos de baile, etc, ampliando y multiplicando las opciones que el parkour presenta. Habitualmente se usa el término "parkour" para nombrar a cualquiera de estas disciplinas indistintamente, de ahí que se diga parkourpark a los espacios específicos del arte del desplazamiento y de sus sub-disciplinas. En el momento de redacción de la guía, el freerunning está más en auge.

Son elementos centrales de estas disciplinas el desarrollo de habilidades útiles para moverse, el fortalecimiento equilibrado del cuerpo al completo, el crecimiento y desarrollo personal debido a la superación de miedos. De ahí que sus principales beneficios sean para la salud, mejorando el equilibrio, la fuerza y potencia de piernas y tren superior; así como beneficios psicológicos de manejo de la ansiedad, disfrute del estado de flujo o "flow" o fortalecimiento de carácter. El juego espontáneo o la creatividad artística son fundamentales al igual que en el desarrollo motor y exploración infantil, dotando a sus practicantes de un sentido de independencia y una visón alternativa y positiva del entorno donde los obstáculos se ven como oportunidades. En etapas más avanzadas la disciplina, trabajo duro, esfuerzo físico, constancia y perseverancia toman más protagonismo. Al practicarse sin competición y de manera individual pero en sociedad, es común y muy relevante el sentimiento de comunidad, apoyo y ayuda con los y las compañeras de entrenamiento, muchas veces desconocidos hasta el encuentro casual y fortuito en el lugar de entrenamiento.

Lo hace especialmente útil y revolucionario el hecho de no necesitar de materiales o implementos extra. Se crea un espacio de participación gratuita y accesible a cualquiera, un espacio inclusivo que no está limitado por los ingresos o clases.

Las amenazas son, claro está, los peligros que pueda entrañar el entorno y la falta de conocimiento y juicio de personas novatas o ajenas a las bases que quieren imitar a los y las avanzadas sin suficiente

La disposición de parkourparks públicos facilita la iniciación menos intimidante a todo tipo de perfiles, especialmente a niños y niñas que conocen el parkour como fenómeno de internet y en donde sus familias y tutores están más predispuestos a dejar explorarlo en ese entorno preparado [...]

habilidad y control. Esto se puede traducir en lesiones traumáticas, otras por desgaste por mala técnica o miedo y frustración generalizada, pero también se pueden evitar y reducir con la guía adecuada: sean tutoriales, instructores o compañeros de entrenamiento; y con instalaciones seguras y en buen estado, para lo que esta guía ha sido creada.

En el momento de redacción de esta guía, la mayoría de aficionados de Bizkaia son jóvenes entre 14-22 años, varones, con poco o relativa experiencia, autodidáctas y auto-organizados. También existen clases y cursillos para niños, jóvenes y adultos donde practican más niñas y mujeres y un público más infantil y también más adulto de media edad, si bien estas actividades dirigidas no representan la mayoría de deportistas. Sin embargo la disposición de parkourparks públicos facilita la iniciación menos intimidante a todo tipo de perfiles, especialmente a niños y niñas que conocen el parkour como fenómeno de internet y en donde sus familias y tutores están más predispuestos a dejar explorarlo en ese entorno preparado y de adultos que buscan una actividad al aire libre global pero de, al inicio, menor impacto y peligro que el cemento o metal de la calle. Igualmente suponen un centro de encuentro comunitario que refuerza la pasión y aspecto social de las personas aficionadas, ayudando a su continuidad y facilitando, en última instancia, una vida más activa, saludable y vital.

Por último, hace poco que el parkour ha sido absorbido por la federación de gimnasia que lo desarrollará como deporte federado, de modo que pronto se podrían esperar más deportistas que necesiten de espacios de entrenamiento.

Práctica del parkour y usos de los obstáculos

Para entender un buen parkourpark, es bueno entender cómo se practica en mayor detalle. La práctica del parkour y freerunning comienza por la inspección y apreciación personal del espacio y sus características: formas, espacios, distancias, texturas, peligros a evitar, etc. Tras calentar y activar el cuerpo, se explora la zona en gestos o retos aislados de dificultad incremental que ayudan a conocer la zona en movimiento, en primera persona. Los y las deportistas ven y sienten la llamada de determinadas formas o espacios potencialmente interesantes o desafiantes, y en ellos se desarrollan los retos centrales de la sesión. Generalmente, estos retos suelen girar alrededor de las limitaciones y barreras mentales de cada practicante, si bien en última instancia se expresan física y corporalmente. Los novatos, además, suelen buscar los lugares idóneos y seguros donde aprender las técnicas que tienen en mente, justo al revés. Después, como norma general, se pasa a elementos menos demandantes donde seguir entrenando y es más lógico ver recorridos y combinaciones más largas de menor dificultad. Es habitual cambiar de sección del espacio o incluso de zona

de entrenamiento y lugar para continuar, y repetir el proceso. Al final del todo, se puede optar por ejercicios más pausados de vuelta a la calma.

El uso que se hace de esos espacios gira alrededor de los retos o desafíos que los mismos originan. Los hay, simplificando, basados en la ejecución y en la resolución. En los retos de ejecución se realizan retos técnicos a completar o repeticiones para el aprendizaje o perfeccionamiento, siempre prefijados y definidos. En la resolución de problemas el paradigma es más abierto: se exploran opciones, se improvisa, se resuelven problemas con normas autoimpuestas. Un ejemplo del primer caso sería completar un salto a pies juntos entre 2 barandillas y mantener el equilibrio al aterrizar, mientras que el ejemplo del primero sería decir que "el suelo es lava" y buscar maneras de cruzar de una barandilla a otra interactuando o no con los elementos que las rodean, en una aventura que puede derivar en otros movimientos o desafíos.

La exigencia mental suele marcar la duración de los retos: se suelen hacer saltos sue tos deliberados, combinaciones de técnicas concatenadas, recorridos o circuitos con técnicas espaciadas en diferentes puntos y direcciones de manera planifi-

Un deportista entrena y otros descansan y observan desde un muro, turnándose.

cada o semi-improvisada y, en máxima duración, los retos abiertos ya mencionados como exploración o problemas. Movimientos individuales como un salto en carrera de una superficie a otra se intentan y repiten de forma aislada o se combinan en recorridos. A los deportistas les importa la fluidez y las conexiones sin interrupciones entre los movimientos, y de ahí que proceso de construir, perfeccionar y repetir estos desafíos es, literalmente, hacer parkour.

Aunque uno se mueva de manera individual, la mayoría de veces la práctica es social y grupal: se comparten retos, se inspira o alienta a los demás, se protegen zonas de caída, etc. Casi siempre la gente se turna y observa los intentos del resto al tiempo que se recuperan de sus esfuerzos, aprendiendo o dando feedback en el proceso.

Una de las claves de la práctica diaria, entrenamiento y aprendizaje es la progresión, la capacidad de graduar la dificultad e intensidad: se puede practicar desde un estilo casi estático y suave hasta uno puramente dinámico y de alto impacto. Este punto es crucial, ya que hace del arte del desplazamiento una disciplina con una barrera de entrada minúscula y con un potencial de desarrollo y progresión infinito.

Simplificando muchísimo podríamos sintetizar que consiste en cuatro familias principales de movimiento. Estas categorías son amplias y no exhaustivas, pero son herramientas útiles para considerar cómo varias estructuras habilitan o excluyen diferentes aspectos del movimiento:

1. Saltar/Saltos

- Se realizan principalmente entre estructuras
- Pueden comenzar desde una posición de pie, una carrera o desde otro salto o movimiento
- Estructuras de todas las alturas y dimensiones pueden ser utilizadas para saltar desde o hacia ellas pero las distancias significativas (más de dos longitudes de cuerpo) y alturas (por encima de la cabeza) restringen su uso a deportistas más explosivos y avanzados
- Aterrizar con precisión y equilibrio o "pinchar" es un desafío común, repetitivo y diario de salto

2. Trepar/Balanceos y escalada

- Se realizan colgándose de estructuras con las manos; las estructuras deben ser lo suficientemente altas para colgar extendido sin tocar el suelo y tener un borde que se pueda agarrar cómodamente
- Para los balanceos, esto significa principalmente una barra redonda lo suficientemente delgada como para envolver los dedos alrededor; muchos parkourparks consisten en poco más que unos andamios
- A diferencia de la escalada en roca con sus pequeñas presas, la escalada en parkour es principalmente dinámica y prefiere superficies planas y agarres "fáciles" que invitan a movimientos grandes y explosivos, con o sin carrerilla previa

3. <u>Superar/Saltos de obstáculos</u>

- Se realizan mediante el apoyo de las manos principalmente sobre estructuras como muros y barandillas
- Las estructuras por la cintura o menos de 1m, más concretamente entre la altura de la rodilla y el pecho, son las más adecuadas para esto y el trabajo de fluidez (explicado debajo)
- Los deportistas experimentados también buscan oportunidades para usar estos movimientos saltando dinámicamente un hueco para aterrizar en otra estructura, especialmente cuando la zona de aterrizaje es más baja o más alta que el obstáculo de despegue

4. <u>Acrobacias</u>

- Los y las freerunners hacen saltos y movimientos que involucran un elemento de rotación y/o inversión del cuerpo
- Para prender un movimiento acrobático generalmente es preferible una estructura desde la cual realizarlo (como voltear desde una plataforma o liberarse de una barra alta) y una superficie abierta y blanda para aterrizar sin peligro, pero los y las más avanzadas pueden incorporar múltiples movimientos acrobáticos y aterrizar cerca de otras estructuras o sobre ellas
- Los entornos más simples y menos abarrotados son preferibles para las acrobacias hasta el punto de que montar un parkourpark en las proximidades de un espacio abierto y llano como una campa amplia el espacio de acrobacias concatenadas

Otro elemento esencial a conocer es la **fluidez** o **"flow"**, que no es otra cosa que hacer que cada movimiento conecte perfectamente con el siguiente. El espacio adecuado es importante ya que se materializa, generalmente, en reducir el número de pasos y apoyos realizados para mantener el ritmo de cada recorrido alto y constante. Generalizando, y en particular para los saltos de obstáculos, menos de 1m entre los obstáculos no permite suficiente espacio para colocar los pies y más de 3,5m hace que sea difícil enlazar dos saltos sin pasos adicionales.

Un deportista despega de una pared inclinada y realiza una acrobacia hacia atrás. Copyright de X-Move.

09

: NORMATIVA Y REGULACIÓN

Alba Salazar, deportista vizcaína, realiza acrobacias

2.
NORMATIVA Y REGULACIÓN

Las instalaciones de parkour no se regulan por normativas de instalaciones de juegos infantiles, instalaciones al aire libre ni por las de parques de calistenia o rocódromos. Las instalaciones de parkour cuentan con sus propias particularidades de uso y seguridad, pero no por una legislación oficial y única.

Leyes y normativas aplicables a los parkourparks

Si bien no existe una legislación sobre las instalaciones de parkour, existe un estándar europeo de calidad para las mismas. Así, esta norma no es de obligado cumplimiento, sino voluntario. Es altamente recomendable que los municipios que vayan a sacar a concurso los proyectos de diseño y construcción de parkourparks exijan el cumplimiento con esta normativa como requisito previo al proyecto a fin de dotarlo de la máxima calidad y seguridad.

Hablamos de la norma "**UNE-EN 16899:2017. Deportes y equipos de recreo. Equipamiento Parkour. Requisitos de seguridad y métodos de ensayo**" del Comité Europeo de Normalización y publicada por AENOR en España. Los productos que se ajustan a la norma UNE-EN 1699:2017 se consideran seguros.

La propia norma indica, que son de consulta y seguimiento indispensable otras normativas que se enumeran a continuación:

- EN 206, Hormigón. Especificaciones, prestaciones, producción y conformidad.

- ES 335:2013, Durabilidad de la madera y de los productos derivados de la madera. Clases de uso: definiciones, aplicación a la madera maciza y a los productos derivados de la madera.

- EN 350-2:1994, Durabilidad de la madera y de los productos derivados de la madera. Durabilidad natural de la madera maciza. Parte 2: Guía de la durabilidad natural y de la impregnabilidad de especies de madera seleccionadas por su importancia en Europa.

- EN 351-1:2007, Durabilidad de la madera y de los productos derivados de la madera. Madera maciza tratada con productos protectores. Parte 1: Clasificación de las penetraciones y retenciones de los productos protectores.

- EN 636, Tableros contrachapados. Especificaciones.

- EN 1177, Revestimientos de las superficies de

las áreas de juego absorbedores de impactos. Determinación de la altura de caída crítica.

La norma y sus anexos detallan a la perfección todas las medidas, condiciones y ensayos necesarios. Debido a las cargas dinámicas aplicadas al hacer parkour, la integridad estructural del equipo debe ser verificada mediante cálculos o ensayos. Los productos no se deben mover, caer ni hundir en su uso, por ello la cimentación y base es requisito fundamental; concretamente el hormigón debe ser de una dureza de C25/30. Cuando los equipos que dependan de conexiones atornilladas deben incorporar un sistema secundario que proteja del aflojamiento provocado por las vibraciones.

Los parkourparks son para practicar parkour, pero la norma también contempla que sea utilizados para otras disciplinas o actividades. Debido a los riesgos que implica, el acceso solo ha de ser posible mediante las aptitudes deportivas del usuario y usuaria y el diseño tiene que dificultar el acceso de niños y niñas pequeñas, siendo estas instalaciones para usuarios de 8 años en adelante.

Como los desplazamientos son auto-controlados, son previsibles los accidentes por errores de cálculo. Todos los materiales deben estar tratados para no resbalar (salvo ante lluvia persistente, escarcha o nieve), pero las superficies tampoco deben ser demasiado abrasivas. No puede haber componentes puntiagudos ni cortantes y los bordes deben estar redondeados para evitar lesiones en caso de accidente. Cualquier pasaje cerrado debe evitar acumular agua y deben evitarse todos los agujeros y ranuras en los que puedan ocurrir atrapamientos de todo tipo.

Debido a los tipos de movimientos y alturas de los objetos, la atención a las caídas es crítica. Solo rellanos, barras y barandillas pueden ocupar un espacio de caída, según especificaciones de las dimensiones. Si bien el suelo ha de ser revestido para proteger de una determinada altura de caída, la norma no fomenta la protección tradicional frente a caídas a pesar de que todos los elementos son accesibles; así, los rellanos no han de ser protegidos. No hay necesidad de suelos anticaídas en alturas inferiores a 1,6m y, al mismo tiempo, ningún elemento puede tener una altura de caída libre máxima de 3m.

Los equipos se deben instalar de modo seguro y cumplir, también, con las debidas regulaciones locales o nacionales de construcción y seguridad. Tras una instalación, se debe realizar una inspección posterior por una persona competente y solo se debe abrir en caso de ser seguro.

La instalación debe estar debidamente separada de otras infantiles y deportivas. También debe contar con su propio panel informativo con determinados ítems que la norma detalla.

Los equipos necesitan ser inspeccionados y mantenidos de acuerdo con los requisitos del fabricante o diseñador. Cuando se detectan infracciones graves, estas deben ser rápidamente subsanadas o se ha de impedir el uso de ese elemento o parque. Cada propietario u operador debe asegurar un programa de inspección adecuado con sus componentes y métodos: una inspección visual rutinaria permite identificar peligros debidos al vandalismo o a la meteorología, debe hacerse una revisión detallada cada 1-3 meses buscando signos de desgaste y debe existir una inspección anual principal de las medidas de seguridad por parte de un organismo acreditado.

Los fabricantes deben facilitar las instrucciones y gráficos necesarios para un buen mantenimiento municipal y debe existir cómo comunicar las deficiencias por parte de los y las usuarias y cada informe debe incluir medidas preventivas y correctivas.

Para mejorar la seguridad, se han de registrar debidamente los diferentes accidentes que pudieran producirse, especialmente la descripción del evento, la lesión sufrida, el equipo y número de personas implicadas y las medidas adoptadas. Todo lo recabado ha de conservarse para posterior revisión.

Igualmente, determinados distribuidores cuentan con otras certificaciones de calidad de materiales, montaje, inspección, etc. a considerar y valorar positivamente en adición a la norma previamente indicada.

De cara a ayudar a los responsables de los proyectos, la norma detalla que los proveedores han de facilitar instrucciones previas a la aceptación del pedido y relativos a la instalación, pero sobre todo han de dar instrucciones simples e ilustradas de los detalles de instalación, funcionamiento, inspección y mantenimiento; asesoramiento para el operador para la inspección y asesoramiento sobre la vigilancia de peligros específicos. También han de facilitar los informes de ensayo si se solicitan.

Responsabilidades de los propietarios y operadores

Los equipos se deben instalar siguiendo las debidas regulaciones locales o nacionales de construcción y seguridad. Se recomienda también contar con su propio panel informativo con determinados ítems tales como la dirección, el uso esperado, el número de contacto del operador y de emergencias, entre otros. Al ser una instalación para una práctica deportiva de riesgo, se ha recordar al público que no se trata de un parque infantil y que no se recomienda el uso de menores de 8 años.

Al igual que lo indicado por la norma europea, los equipos necesitan ser inspeccionados y mantenidos óptimamente. Cuando se detectan infracciones graves, se ha de impedir el uso de ese elemento o parque hasta subsanarse. Se recomienda una inspección visual rutinaria para identificar peligros debidos al vandalismo o a la meteorología, y una inspección anual principal, o más, de las medidas de seguridad por una entidad acreditada. Cada informe debe recoger medidas preventivas y correctivas en caso de ser necesarias.

Para mejorar la seguridad, se han de registrar y conservar debidamente los diferentes accidentes que pudieran producirse, especialmente la descripción del evento, la lesión sufrida, el equipo y número de personas implicados y las medidas adoptadas. En función de los datos recabados y en especial si se dan incidencias similares y repetidas, podría ser necesario desaconsejar el acceso a determinadas franjas de edades, limitar el aforo o balizar determinados elementos.

Alba Salazar, deportista vizcaína realiza acrobacias

03

: DISEÑO Y CONSTRUCCIÓN

3.
DISEÑO Y
CONSTRUCCIÓN

Como ya se ha indicado, el parkour no se limita a una instalación determinada, sino a un sinfín de entornos y combinaciones de obstáculos únicos, singulares e irrepetibles, sean estos en el entorno natural o urbano, sea en un entorno preparado o no. Los mejores lugares de entrenamiento permiten y suscitan diferentes retos de diferentes dificultades, habilidades y tipos de técnicas que atraen a sus practicantes.

Consideraciones de diseño y construcción

Cuando se idean espacios, se han de considerar principalmente los siguientes *aspectos*:

- **Variedad:** la variedad de formas, materiales y tamaños hace del espacio único. La mejor manera de aumentar la variedad es simplemente integrar diferentes tipos de obstáculos. Además, variar las distancias y alturas de estos crea más desafíos y oportunidades para progresar en cada nivel. Un área dominada por barras altas probablemente se beneficiará de la adición de unos muros y viceversa. Sin embargo, hay que tener cuidado con la variación excesiva y desorden, todo necesita su justa medida. Parques donde los elementos no siguen una cuadrícula, donde no son siempre paralelos ni perpendiculares sino que alguna pared se inclina, los muros se desvían no solo en 90 grados o donde hay texturas y detalles únicos e inesperados son los mejores porque reducen la monotonía y son menos repetitivos.

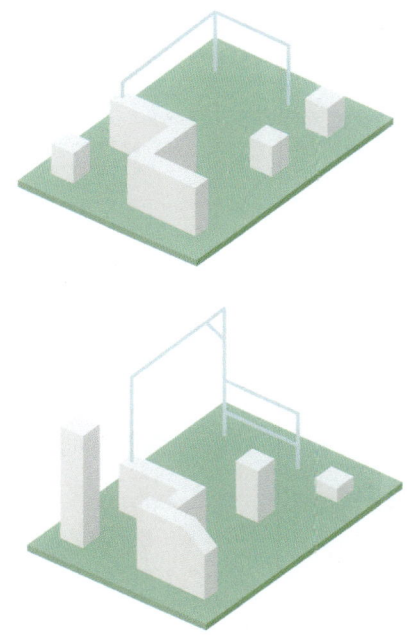

Ejemplo de un parque más variado respecto a un planteamiento similar pero más simple y repetitivo en origen.

Parkourpark de Colonia, Alemania. Parte del parque se reorienta en 45º cambiando la tendencia monótona de la cuadrícula inicial. Copyright de X-Move.

• **Densidad:** Se refiere a lo unidos o separados que están los obstáculos, al espaciado de estos. Los mismos obstáculos muy alejados no son combinables, se aíslan, de ahí que una distribución más densa suele generar más conexiones y combinaciones. Llevado al otro extremo, un parque demasiado denso no permite correr, hacer acrobacias ni compartir el lugar en grupo, resulta más bien un impedimento. La clave está en el espaciado funcional y seguro que funda bordes conectados y espacios más libres.

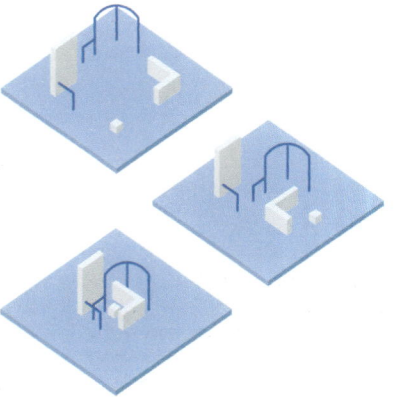

Los mismos elementos organizados en diferentes densidades. A la izquierda, las estructuras están muy separadas o exageradamente unidas; a la derecha, la densidad es óptima.

Conviene además evitar las distribuciones lineales y unidimensionales, priorizando múltiples puntos de acceso, de manera de las opciones de la misma configuración de elementos se multiplican. Al mismo tiempo, suele resultar en una superficie de suelo mejor aprovechado y puede abaratar la inversión en superficie anti-impactos.

Completando lo dicho anteriormente, la organización de las estructuras en un parque de parkour es crucial para definir los movimientos posibles y la fluidez de los desafíos. Los aficionados interactúan principalmente con los bordes y caras de las estructuras, por lo que es útil analizar estos bordes en vista de plano para comprender la relación entre las estructuras:

- **Bordes paralelos:** Los bordes paralelos crean vacíos o espacios negativos que invitan a la conexión mediante movimientos dinámicos como saltos o balanceos. El tamaño del espacio, el tipo de estructuras a ambos lados y su relación determinan la gama de movimientos posibles entre ellos. Son los bordes paralelos dominantes, a grandes rasgos, los que definen los principales desafíos de un lugar; sin embargo, hay que evitar las cuadrículas y tratar de incluir algún elemento disruptivo no paralelo.

- **Bordes perpendiculares:** Los bordes perpendiculares crean oportunidades para recorridos más complejos y cambios de dirección; más bien complementan a los paralelos.

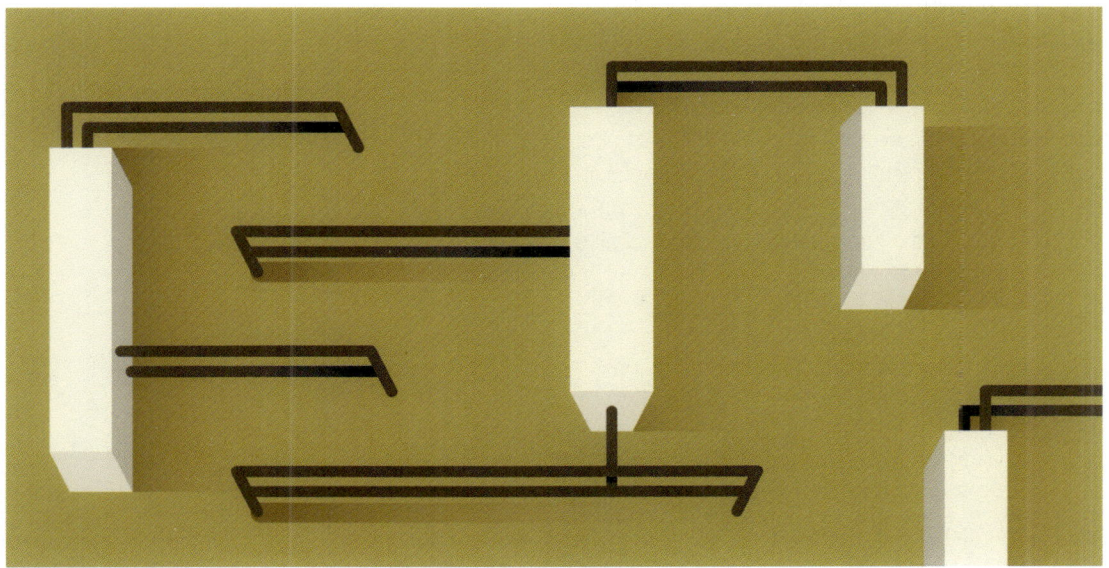

Vista aérea de barandillas paralelas y muros perpendiculares a ellas, o viceversa

También es útil observar que diferentes alturas de elementos crean diferentes niveles o capas que fuerzan ir sobre los objetos o bajo ellos y que permiten correr o no por el suelo. Por ello es interesante intentar equilibrar esos bordes y densidades y sus intersecciones.

Llevado a un plano más práctico de diseño, los parques abiertos con bordes mínimos o sin límites físicos que no interfieren con la carrera facilitan entradas en aceleración, permitiendo realizar movimientos dinámicos con velocidad. Las paredes altas se utilizan principalmente para escalar y realizar saltos y también proporcionan buenos puntos de anclaje para barras altas, permitiendo una variedad de movimientos verticales. Los muros y barandillas son esenciales para crear un entorno que facilite las transiciones fluidas entre diferentes tipos de movimientos, aumentando la diversidad y complejidad de los desafíos disponibles. Al combinar estos elementos de manera estratégica, se pueden crear parques de parkour que sean funcionales, desafiantes y accesibles para todos los niveles.

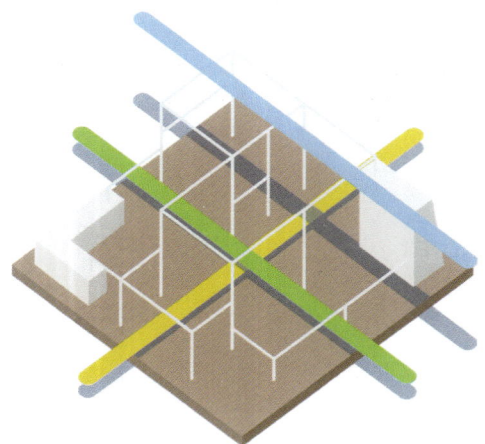

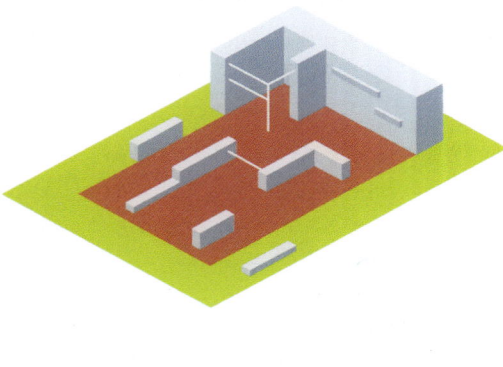

Las barras altas permiten correr bajo ellas, las paredes altas cortan el camino y las barandillas y muros bajos pueden sobrepasarse pero frenan la carrera libre. Todos los elementos pueden ser a su vez la base de apoyo de una capa superior.

Bordes: un parque sin bordes permite movimientos con carrerilla, obstáculos bajos multiplican las opciones de conexión y los obstáculos altos crean barreras físicas que sirven a su vez de amarre para otras estructuras. Paredes o barandillas permanentes marcas limites físicos insorteables al público y que a su vez serán elemento de juego de los y las deportistas..

Secciones temáticas de obstáculos y recomendaciones

La mayoría de instalaciones cuentan con *tres categorías de estructuras*: barras, paredes (y vigas) y plataformas, incluyendo el suelo llano. Las alturas relativas de estas estructuras ayudan a determinar qué movimientos son atractivos o posibles en ellas. Además de las estructuras comunes, las estructuras singulares son una adición extra que puede añadir novedad y atractivo visual, ofreciendo desafíos diferentes y estimulantes.

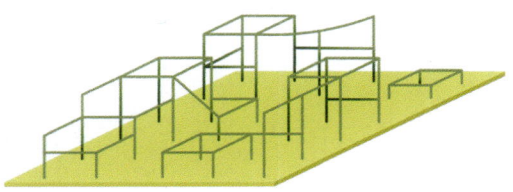

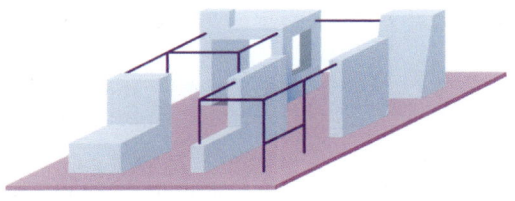

Ejemplos de: 1. Parque de barras altas; 2. Parque de paredes y plataformas elevadas; 3. parque de obstáculos bajos. El parkourpark ideal sería aquel que da cabida y funde coherentemente estos tres tipos y alturas.

Trasladado a una instalación planif cada, se traduce como mínimo en los siguientes elementos:

- **Barras altas para balancearse**

- **Muros, paredes o bloques de media a alta altura para trepar**

- **Muros o barandillas de media altura para sobrepasar**

En lugar de preparar otra sección más baja para saltar, de primeras interesa más posicionar y espaciar los anteriores elementos para que susciten saltar entre las diferentes superficies. En realidad, los elementos nunca serán tan importantes como las conexiones entre los mismos. Y para un diseño eficiente y versátil, los elementos deben poder cumplir diferentes propósitos. Es bueno recordar que los espacios simples y abiertos facilitan la práctica e integración de acrobacias en ellos.

Además, los y las deportistas iniciados, valorarán por ello que el parkourpark municipal que se instale complemente las carencias del municipio para practicar parkour, y las personas no iniciadas aún necesitarán un espacio previsible, seguro y poco intimidante donde dar sus primeros pasos. Una instalación buena y grande, suele responder mejor a estas cuestiones que varias pequeñas que agotan o limitan sus posibilidades más rápidamente.

Para el primer problema, se ha de valorar qué opciones existen al alcance de la ciudadanía previo al proyecto. Por ejemplo, en ciudades con barandillas y rampas de accesos un parque de muros de cemento puede tener mucho potencial, o viceversa, o en un pueblo llano donde no hay paredes que escalar, un parque con andamios y paredes altas puede abrir nuevas posibilidades de movimiento.

Respecto a iniciación de personas nuevas y

ajenas al arte del desplazamiento, en especial a las familias con niños y niñas que necesiten de un espacio facilitador un parkourparks debería ofrecer un conjunto de elementos de bajo peligro donde empezar poco a poco y sin apenas riesgo; esto vale también para adultos. Volviendo a la lista anterior de mínimos, podría transformarse a:

- **Muros o barandillas de media altura para trepar y balancear (para infantes)**

- **Bloques, bordillos o barandillas de baja altura para superar y entre los que saltar**

Esta última propuesta puede constar de barandillas, bloques o muros finos de baja altura para practicar equilibrio, saltos y saltos de obstáculos, entre otros, y puede sumarse a la lista de básicos de 3 zonas antes mencionada. Dicha apuesta será igualmente válida y atractiva para el trabajo de salto de personas más avanzadas.

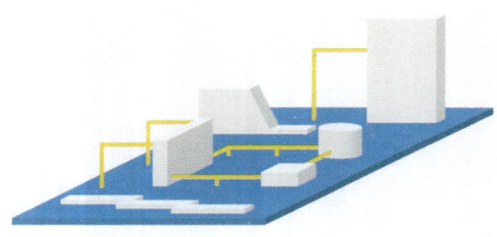

Una sección infantil no difiere demasiado del aspecto del resto de secciones, tan solo facilita practicar a menos altura y peligro.

Materiales y características recomendadas

Los materiales vienen recomendados por la normativa. Cuando no se aplique obligatoriamente la misma, se recomienda seguir las siguientes indicaciones para los diferentes obstáculos, sus materiales y revestimientos, si bien existen más opciones válidas no abordadas:

- **Suelo protector de caucho**, para proteger de daños graves ante caídas pero permitiendo firmeza para correr y saltar, aunque no es necesario proteger elementos menores de 1,6m. Los cauchos y materiales sintéticos han de estar protegidos ante los rayos UV y del oxigeno y necesitan de una indicación de plazo para su revisión y sustitución. Se recomienda que el parque se instale en suelo llano, o en diferentes niveles llanos. Existen otras estrategias como la corteza de pino o arena, que pueden servir igualmente en función del diseño general del parque o tipo y altura de obstáculos, pero no son tan universales porque no son tan firmes y pueden hacer resbaladizos el resto de rellanos y superficies y dañar los otros elementos por abrasión. Algunas secciones pueden dejarse sin proteger, y si bien el césped es una opción válida, no se recomienda césped ya que pronto sufrirá daños de carreras y aterrizajes repetidos sobre determinados puntos.

Los elementos altos (a la izquierda) requieren de un suelo protector mientras que los más bajos no. Copyright de X-Move.

- **Muros y paredes de diferentes alturas de hormigón reforzado por el interior, armado o en masa**, siendo este liso y con buen agarre pero no abrasivo en el exterior. Si hay elementos tridimensionales, con texturas, etc. han de ser diferenciados y evidentes. Generalmente se interactúa, de una parte, con las superficies verticales mediante la suela del calzado porque se necesita tracción, por ello se ha de evitar cualquier acabado resbaladizo. De otra, se interactúa con los topes horizontales con calzado y manos descubiertas, por lo que se han de evitar los acabados rugosos y cortantes para la piel y calzado. Biselar ligeramente los bordes hace este punto más cómodo. Se ha de optar por acabados que no se deshagan ni se desprendan de la pared por el uso continuado. Las vigas elevadas funcionan principalmente como estructuras para saltar y superarlas; cuando se sustituyen por paredes, se ahorran materiales y añaden visibilidad y profundidad visual a un parque. Las vigas se utilizan mejor en aplicaciones más bajas, ya que no soportan la mayoría de los movimientos de escalada. El perfilado del borde es similar al de las paredes. También hay fabricantes que realizan elementos válidos de madera tratada o superficies sintéticas como plásticos duros, si bien no es tan habitual; estos materiales requieren de otro tipo de fijaciones que deben ser visibles para su reparación pero, al mismo tiempo, poco peligrosas para los usuarios.

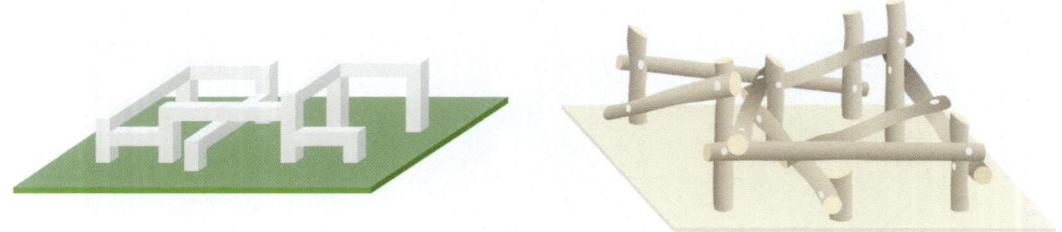

Ejemplo de bordes biselados y en 90º.

- **Las barandillas y andamios de metal inoxidable** deben tener longitudes reducidas que permitan sostener cargas dinámicas de deportistas sin deformarse, sea por el impacto de aterrizajes repetidos como por tracciones de balanceos agresivos. Las conexiones soldadas son las mejores para parques permanentes; también es recomendable conectar al menos 2 barras horizontales, unirlas a paredes y añadir diagonales entre ellas para mejorar la estabilidad. Una de las ventajas de las jaulas de andamios y secciones de barandillas es que permiten ver a través de ellas y dan amplitud al espacio. Cualquier barra alta idea para balancearse no debe exceder los 7cm de diámetro de lo contrario resbalar las manos al balancearse sería más probable. A poca altura, pueden ponerse tubos de mayor grosor que actúen como vigas o paredes. Estos elementos son los más inutilizados en caso de lluvia o frío debido a la posibilidad real y lógica de resbalar; por ese motivo también, deben ser de un acero de calidad y tratarse para evitar su corrosión, oxidación y escamado.

Las estructuras soldadas en lugar de unidas por codos o remaches son más robustas y las esquinas de muros y vallas redondeadas son más seguras y agradables.

En ocasiones se ven parques con suelo húmedo resbaladizo, muros con acabados o lijados resbaladizos o con superficies rugosas y cortantes y barras metálicas finas y endebles o con materiales y acabados protectores resbaladizos o quebradizos. Se ha de tener presente, sea por diseño o por vandalismo, que el espacio debe mantener sus propiedades pintado o no.

Para que los parques sean disfrutados el mayor tiempo posible, debería revisarse la iluminación de la instalación, especialmente de cara a optimizar las tardes del horario de invierno y las noches de verano, cuando quizá el parque sea menos usado bajo el sol. Ha de prestarse mucho cuidado a este punto, ya que de noche las sombras causadas por unos elementos pueden ocultar la presencia de otros obstáculos o usuarios, aumentando el peligro de uso. Si bien la mayoría de parques se dejan sin pintar, atender al contraste de colores podría ayudar a este punto.

Debido al clima en el que nos encontramos, se ha de tratar que dichos materiales conserven sus características en diferentes condiciones climáticas, así como que no se deterioren rápidamente por la exposición a los elementos.

Aspectos importantes de la seguridad en el diseño

Independientemente de la normativa menciona-da, y más aún en caso no exigirse o aplicarse, se han de prever algunas situaciones del espacio y uso para que la instalación sea lo más segura posi-ble. Fallar un movimiento dinámico puede resultar en todo tipo de caídas y golpes, aunque al ser una práctica autónoma y autogestionada el riesgo que asumen sus practicantes es generalmente bajo o medio-bajo. Normalmente se materializan en gol-pes, laceraciones y heridas en la rodilla y tibia y en pinzamientos anteriores y torceduras leves de to-billo. Paralelamente, personas sin experiencia pue-den calcular mal sin conocimiento y causar otro tipo de lesiones menos previsibles. Igualmente, el espacio ha de poder ser usado en diferentes condi-ciones climatológicas.

Por ello, para ayudar a prevenir accidentes y minimizar los daños de aquellos que ocurran se debe prestar atención a evitar, prevenir, asegurar o conocer y minimizar, al menos, estas 10 fuentes de daño previsibles:

- **Suelo:** casi cualquier gesto -acertado o fallido- interacciona con el suelo de una u otra mane-ra, por lo que este debe ser llano y predecible, evitando irregularidades, agujeros, cambios de nivel o puntos peligrosos imprevisibles donde atrapar los pies o errar. Cuando existan cambios de nivel, escaleras, bordillos delimitantes☐ estos deben ser evidentes y claramente visibles. Se ha de canalizar bien el agua y su filtrado para evitar y reducir zonas húmedas, charcos y similares.

- **Solidez:** la estructura debe ser previsible, ro-busta e inmóvil, sin partes móviles por diseño o inestables por su estado o instalación deficiente. Las fuerzas a las que se someten los obstáculos instalados pueden ser altísimas, por lo que los obstáculos han de anclarse debidamente, contar con suficiente suelo perimetral para la altura de cada elemento y tener materiales óptimos.

- **Agarre:** el espacio debe proporcionar tracción a sus usuarios, no siendo resbaladizo para el calza-do ni demasiado abrasivo en las diferentes con-diciones climáticas o ambientales. Es de esperar que sea usado con suelo húmedo o mojado (a excepción de los elementos de metal) y que no-vatos resbalen en las paredes y se rasguen la piel de antebrazos y manos; por ello se ha cuidar el tratamiento y elección de los materiales que lo conforman.

- **Esquinas:** Todos los elementos salvo el suelo tienen esquinas puntiagudas o más romas o re-dondeadas. Estos elementos no son problemáti-cos ante un buen uso, pero son fuente de daño en caso de error y golpe o caída. Las esquinas, puntas, etc. pueden ser biseladas o redondeadas para reducir su capacidad de corte y daño de te-jidos en esos supuestos.

Alba Salazar, deportista vizcaína realiza parkour

- **Pinchos:** se han de evitar todo tipo de protuberancias y salientes no pensados para la actividad, tales como clavos, remaches, astillas, relieves de roca u hormigón◻ y cuando sean necesarios para el montaje de una estructura, han de estar debidamente visibilizados y protegidos, de lo contrario podrían producir cortes y heridas potencialmente peligrosas.

- **Agujeros:** los hay de todo tipo y tamaño y son fuentes de atrapamiento de extremidades, pelo, etc. Han de ser eliminados por diseño o evidenciados para una práctica e interacción segura y previsible, ya que determinado tipo de aberturas pueden, a su vez, ser beneficiosas para la práctica.

- **Alturas:** cualquier fallo en altura es más peligroso que en ausencia de la misma. Las zonas de caída de los elementos deben estar libres de otros elementos y ser claras, y a partir de determinada altura conviene que estén protegidas con suelos amortiguadores de impactos. Incluso cuando no se aplique la UNE-EN 16899:2017, conviene respetar su recomendación de altura máxima de 3m de caída libre y no excederse.

- **Puntos ciegos:** Una de las claves para una práctica segura es poder ver el espacio correctamente y que nada se vea alterado; pero determinados elementos como paredes altas pueden crear espacios invisibles que provoquen el choque de personas que practican simultáneamente. Si bien puede haber puntos ciegos, deben ser los menores posibles, ser obvios y distinguibles por los y las deportistas con facilidad, o contar con señales pintadas que los visibilicen.

- **Otras personas:** al practicar desplazamientos de manera dinámica y que abarcan gran terreno, el espacio debe estar libre de elementos inapropiados tales como balones, bicicletas o mochilas y de personas no-usuarias que invaden el espacio y se mueven errática e impredecible. Para ello, basta con dotar la instalación deportiva y en especial su exterior cercano con bancos, fuentes y aparca-bicicletas, entre otros elementos similares, así como de informar mediante un cartel de que se trata de una instalación de parkour y no un campo de juegos infantiles o de otras modalidades. Situar un parkourpark cerca pero separado de otra instalación como un parque infantil, rocódromo o pista deportiva puede ayudar a que se respeten los usos de cada una. De esa manera el espacio quedará libre para los usuarios.

- **Otros elementos:** la presencia de hojas, ramas, basura, cristales, etc. puede entorpecer la práctica deportiva y poner a los usuarios en peligro. Turnos de limpieza regulares y óptimos ayudan a evitar problemas de este tipo. Al tratarse de una actividad de calle, los y las deportistas practican normalmente a una distancia desde la que vigilan sus pertenencias como mochilas, teléfonos, etc. a simple vista, hecho que conviene considerar al diseñar el parque y sus accesos.

Otras recomendaciones prácticas

El borde exterior de un parque de parkour es la frontera entre el parque y el espacio adyacente. Es crucial considerar cómo esta condición fronteriza se relaciona con el equipamiento dentro del espacio y posicionar los elementos de manera adecuada para maximizar los caminos de entrada y salida del espacio. Es importante recordar que un espacio sin bordes y abierto multiplica sus opciones y ángulos, pero no siempre es necesario ni lo más acertado: hay que analizar los caminos de acceso para evitar choques, interferencias con viandantes, etc. o factores tan obvios como la inclinación del terreno circundante. En ocasiones se pueden añadir puertas o entradas bien definidas en el borde exterior del parque, asegurando que estén claramente visibles y accesibles desde el espacio circundante y facilitando la salida y evacuación del parque.

Desde el ojo entrenado de los y las aficionados de parkour, cualquier estructura o el espacio negativo entre ellas pasa a ser un espacio de descubrimiento, juego o entrenamiento: un campo de juegos o un gimnasio improvisados. Por ese motivo, cualquier parque nuevo que se sitúe junto a estructuras ya presentes como determinados árboles, rampas o paredes puede multiplicar su usabilidad e interés potencial. Igualmente, rodear el parque de parkour o uno de sus lados con otro mobiliario como grandes rocas decorativas, determinados tipos de bancos, gradería, bordillos de jardines, etc. puede ayudar a extender el espacio de práctica y uso deportivo, si bien de ninguna manera serían considerados parte del parkourpark ni aplicables sus normas de construcción. Hay que entender que el mobiliario urbano que no interese demasiado para entrenar sigue teniendo su función para el resto de usos (descansar, adornar, organizar, etc.) pero una instalación de parkour deficiente o mal diseñada no interesa para nada. Cualquier diseño integrado en su entorno exterior ha de cumplir con las normas de construcción y seguridad aplicables, cabe añadir.

Debido al principal público juvenil interesado y a relacionar la instalación con espacios saludables, es preferible elegir una ubicación de fácil acceso a pie, bicicleta o transporte público como un espacio verde o plaza peatonal. Muchas veces este público llegará de manera natural de otras zonas urbanas de parkour cercanas o se moverá después a ellas. Esta ubicación se mejora añadiendo fuentes, aparca-bicicletas, fuentes, papeleras, espacios de sombra y descanso, etc. Asimismo, todo ayuda a evitar crear puntos aislados que generan desconfianza o puntos negros de vandalismo, ataques, campamentos, etc.

Una de las principales objeciones para sacar un proyecto suele ser su coste, pero calidad y coste no están siempre directamente relacionados. Para reducir la inversión presupuestaria sin perder en calidad ni seguridad o, a la inversa, para mejorar las propuestas dentro de límite presupuestado, se recomienda: reducir el área de entrenamiento, bajar la altura de los obstáculos elegidos para que no se requiera de un suelo protector anti-impactos en parte del parque o en su totalidad, no techar el espacio y, o ya que son combinables, ubicar la zona cerca de elementos naturales para practicar parkour tales como determinados árboles, paredes, bancos☒ que amplíen las opciones del nuevo recinto a construir, si bien no serían propias del área deportiva, como ya se ha descrito previamente.

Ejemplos de parques

Debido a la creciente oferta de distribuidores en competencia y la variabilidad e inestabilidad de los precios, la guía no contempla recomendar una marcas u otras ni dar presupuestos tipo de las mismas. Sin embargo, se han recopilado ejemplos de parques geniales (o secciones de ellos) y comentarios de los mismos para ampliar la visión de opciones existentes:

Amager Strandpark, Copenague, Dinamarca.

Se trata de un parque de barras en la playa, donde la arena hace de suelo protector y la cercanía al paseo asfaltado multiplica las opciones del parque.

Rail heaven, Copenague, Dinamarca.

Uno de los mejores parques (ya desaparecido) casi exclusivamente creado por barras de andamio de diferentes alturas entrelazadas.

Diseño y fotografías de StreetMovement y Mikkel Ruggard Studio. Todos los derechos reservados.

Diseño y fotografías de StreetMovement y Mikkel Ruggard Studio. Todos los derechos reservados.

Laberinto del parkourpark de Zaragoza, España.

La combinación de muros de diferentes niveles y grosores crea un sinfín de espacios negativos irregulares donde practicar *saltos y saltos de obstáculos*.

Fotografías por Eduardo Javier Ramón Visiedo

Mannheim BUGA, Alemania.

Muros y paredes de diferentes alturas, de gran densidad y amplitud, _uno de los parques europeos más nuevos, extensos y destacables._

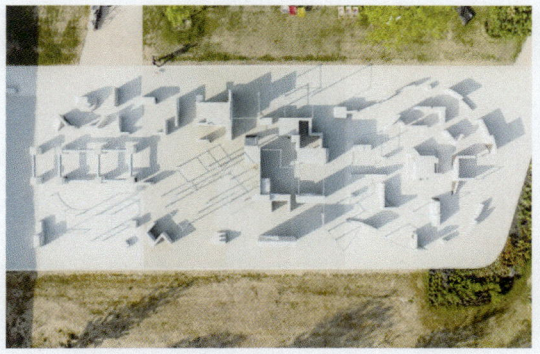

Mannheim, Alemania. Copyright de X-Move.

Centenial park, Fort St. John, EEUU.

Los _obstáculos del parque son enteramente de madera_, al igual que en parques de juego infantiles, y con _interesantísimas conexiones de barras._

Centennial Park, EEUU. Diseño y fotografías de Parkour Visions.

04

COMUNICACIÓN Y PROMOCIÓN

4.
COMUNICACIÓN Y PROMOCIÓN

Como cualquier otra instalación deportiva pública, habrá momentos en que nadie haga uso de la misma. Para minimizarlos y potenciar el uso de la instalación al máximo, se recomienda considerar algunas de las siguientes medidas.

Estrategias de comunicación y promoción para aumentar la conciencia y el uso de los parkourparks

De inicio, un parkourpark es un espacio abierto, de uso libre y recreativo. En ese sentido, se ha de dar a conocer el lugar mediante un cartel que lo identifique, regule y de indicaciones de buenas prácticas para su disfrute. Al ser responsabilidad de cada usuario qué ejecutar en cada visita, cada municipio puede instalar una placa con un QR donde los usuarios encontrarán decenas de tutoriales y recursos, sirva de ejemplo la *página web de Kirolguneak*, este proyecto. De esa manera, puede esperarse un uso más seguro, guiado y responsable que la libre práctica sin directriz ni base alguna.

En un segundo nivel, el mismo proyecto de la Diputación de Bizkaia ha realizado masterclasses formativas que podrían replicarse o se podrían contratar nuevos talleres a empresas especializadas para realizar actividades formativas dirigidas que conciencien del buen uso del parque y de la técnica y mentalidad correctas para una progresión y aprendizaje responsables. En algunas urbes, existen deportistas o asociaciones de parkour que también pueden ser contactadas para que mediante actividades puntuales ayuden a la ciudadanía a tener un primer contacto con el parque y técnicas básicas. Es importante entender que muchas personas no iniciarían su andadura o que no continuarían más allá de las bases al sentir que tocan techo si carecieran de algún tipo de guía y apoyo.

Sea mediante cualquiera de esos agentes o mediante el propio ayuntamiento, también pueden crearse eventos especiales gratuitos de reunión, donde crear una comunidad de aficionados alrededor de la instalación. El nombre de dichos eventos es RT o "Reunión de Traceurs" (deportistas de parkour).

Eventos de inauguración, entrevistas a expertos o aficionados locales en webs, periódicos o televisiones locales y permiten visibilizar la instalación y sus facetas más positivas, normalizando y ayudando a comprender un espacio relativamente nuevo y desconocido.

En resumen, una de las claves para brindar vida al parque y dirigirla positivamente consiste en la dinamización, sea auto-dirigida u ocasional por terceros, lo que garantiza que no se vaya a empezar de cero a menos que se desee y que quienes se inicien o ya practiquen cuenten con una red de compañeros y compañeras y calendario de actividades.

Cabe matizar, en caso de que el parque se ajuste a la normativa europea, que la misma implica excepciones a sí misma en caso de uso supervisado. Esto quiere decir que si un entrenamiento guiado cuenta con material auxiliar (otra estructura desmontable de andamio, por ejemplo), ni este ni la combinación de ambos tienen por qué ser acorde a la norma siempre que sea responsabilidad del supervisor experto garantizar la responsabilidad suficiente y uso apropiado. Esto no exime al ayuntamiento de solicitar cumplir con determinados seguros o certificaciones sobre el material en cuestión. Bien hecho, en caso de accidente o negligencia en esos supuestos, sería responsabilidad del supervisor.

Cómo involucrar a la comunidad local en el desarrollo y mantenimiento de los parkourparks

Un proyecto de nueva construcción de parkourpark debería empezar, idealmente, con un asesoramiento de una persona o entidad competente. Se estudiarían la idoneidad de la ubicación, del diseño, de accesibilidad para el público objetivo, etc. Este asesoramiento podría estar a su vez respondiendo a las preocupaciones e inquietudes del público objetivo, para lo que podrían realizarse encuestas o programas participativos municipales o privados.

Concretamente, se ha hecho referencia a la singularidad del parque, por lo que este debería cubrir carencias del municipio o comarca en materia de parkour. Algunos ejemplos podrían ser barras de andamio por su escasez, muros cuando el resto del municipio consiste de barandillas, foso de arena si se contempla facilitar el entrenamiento de acrobacias, etc.

Es entendible que habrá momentos en que nadie haga uso de la misma. Para minimizarlos, se recomienda añadir información como un panel informativo que explique el parkour y como usar el espacio, así como otros tipos de ejercicios de calistenia, mejora del equilibrio, trabajo postural o cualquier actividad saludable que ayuden a otros públicos a aprovechar el lugar.

MASTERCLASS PARKOUR

SOPUERTA
KONTZEJUKO UDALA

10:30-12:00
12:00-13:30

IZENA EMAN
INSCRIPCIÓN

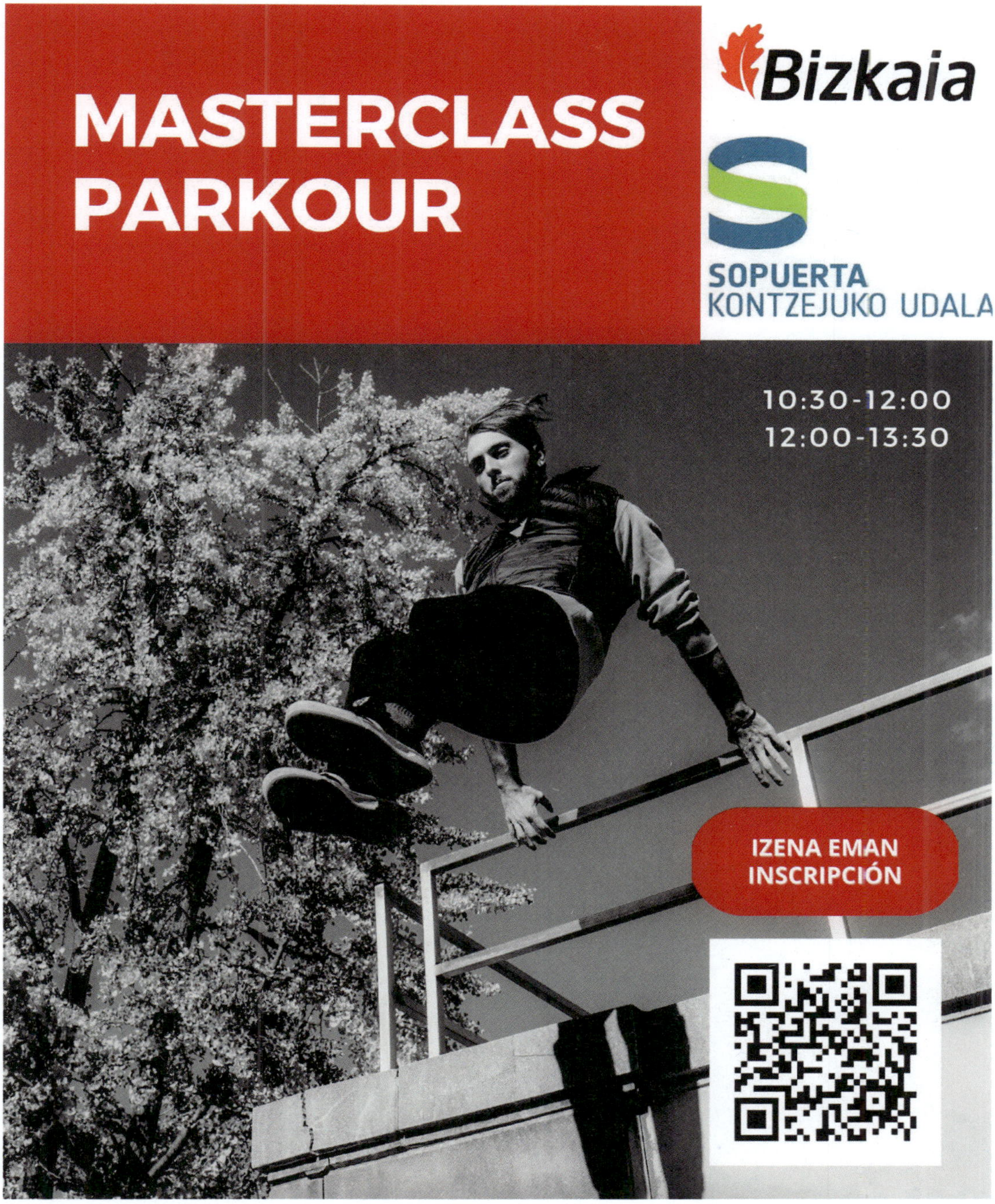

Ya hemos comentado que los parkourparks pueden beneficiarse de sinergias si se construyen junto a elementos válidos e interesantes para hacer parkour como rampas de acceso o paredes, por ejemplo. También de estar directamente junto a rocódromos para escalar, barras de parques de calistenia u otros supuestos. La coexistencia con otros colectivos facilita el intercambio de ideas y que nuevas personas participen en el uso de la instalación.

El propio ayuntamiento o sección deportiva o ju-

venil podría organizar eventos o quedadas del tipo RT u otras, o ceder el espacio para el desarrollo de eventos comunitarios del mismo tipo pero organizados por figuras del público usuario. Es más, también se puede ceder espacio de almacenaje para material extra que complemente el parque ya que eventos con ese material ayudan al aprendizaje y crean nuevas experiencias imposibles sin él, ayudando a que los aficionados renueven su afición y amor por el lugar. El posicionamiento o uso del material móvil siempre ha de ser supervisado por personal competente.

05

CONCLUSIONES Y RECOMENDACIONES

5.
CONCLUSIONES Y RECOMENDACIONES

En el momento de redacción de la guía, en Bizkaia contamos con 5 parkourparks públicos: 2 en Bilbao (en Sarriko y Matiko) y en Atxondo, Gorliz y Sopuerta. También lo hay en construcción en Barakaldo. Destacan Matiko por estar a cubierto y Gorliz por ser el más nuevo y mejor diseñado, pero aún se detectan parques con deficiencias en diseño y construcción que comprometen la usabilidad y, lo más importante, la seguridad.

Tras la lectura de estar guía, esperamos haberte ayudado a conocer mejor este tipo de instalaciones y haberte convencido de apostar por las mismas. Llegado el momento, esperamos que ayudes a agrandar la red de parkourparks públicos de la provincia.

Resumen de las principales conclusiones y recomendaciones

Tras la lectura de esta guía y basando tu proyecto en los puntos citados esperamos que comprendas que:

• El parkourpark es un espacio idóneo para potenciar el ocio activo y saludable de la ciudadanía.

• Un parkourpark ayuda a la iniciación de todo tipo de perfiles a probar y crear una comunidad en torno a él.

• Al tratarse de un espacio abierto y de uso libre, instalar recursos formativos y educativos gratuitos virtuales y dotar al parque de una dinamización presencial o eventos sociales ocasionales ayuda a crecer su público y mantener el sistema vivo.

• Los promotores deberían, a la hora de redactar un concurso, exigir el estándar europeo de calidad citado, pedir respetar el resto de normas indicadas y valorar positivamente cualesquiera otras certificaciones de calidad y seguridad que los aspirantes a la obra puedan proporcionar, así como facilitar esta guía para su seguimiento.

• Las principal atención a la seguridad recae en el correcto anclaje y asegurado de los elementos; en la altura de los obstáculos más altos, la zona de caída que los rodea y el suelo protector que se instale; y los acabados de los mismos, incluyendo la elección de materiales o revestimientos óptimos.

• La principal atención a la usabilidad es la combinación óptima de tipos de obstáculos; alturas, distancias y conexiones de los mismos, que dan como resultado un espacio de densidad y variedad original, única e irrepetible.

Pasos y acciones sugeridas para la implementación de parkourparks en el municipio

• Exigencia de la norma UNE-EN 16899:2017 en cualquier proyecto, para realizar un proyecto de la mayor calidad y seguridad, así como facilitar y consultar este documento.

• Asesoramiento experto de parkour independiente del proyecto, para garantizar la mayor usabilidad e interés y evitar errores de diseño o formato.

• Solicitud de informe de acreditación de calidad y seguridad por entidad o experto independiente al finalizar la obra, previa a la apertura al público, así como inspección anual periódica de las mismas características.

• Dotación de recursos para el mejor aprovechamiento del área, tales como enlaces a tutoriales y eventos de dinamización como una inauguración o quedadas anuales.

Diseño y fotografías de StreetMovement y Mikkel Ruggard Studio. Todos los derechos res

Bizkaia
foru aldundia
diputación foral

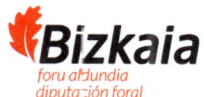

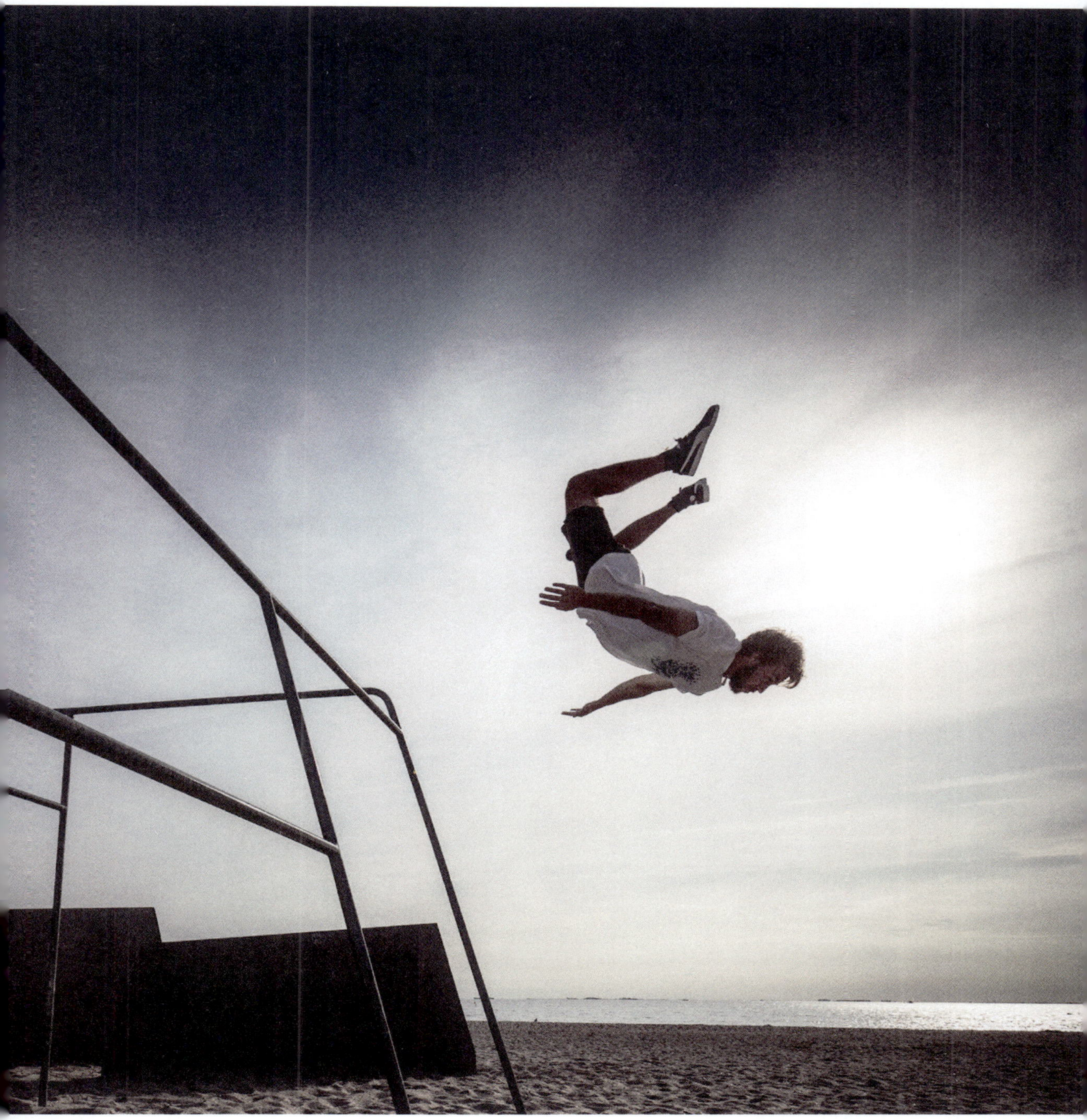

GUÍA DE
PARQUES
DE PARKOUR

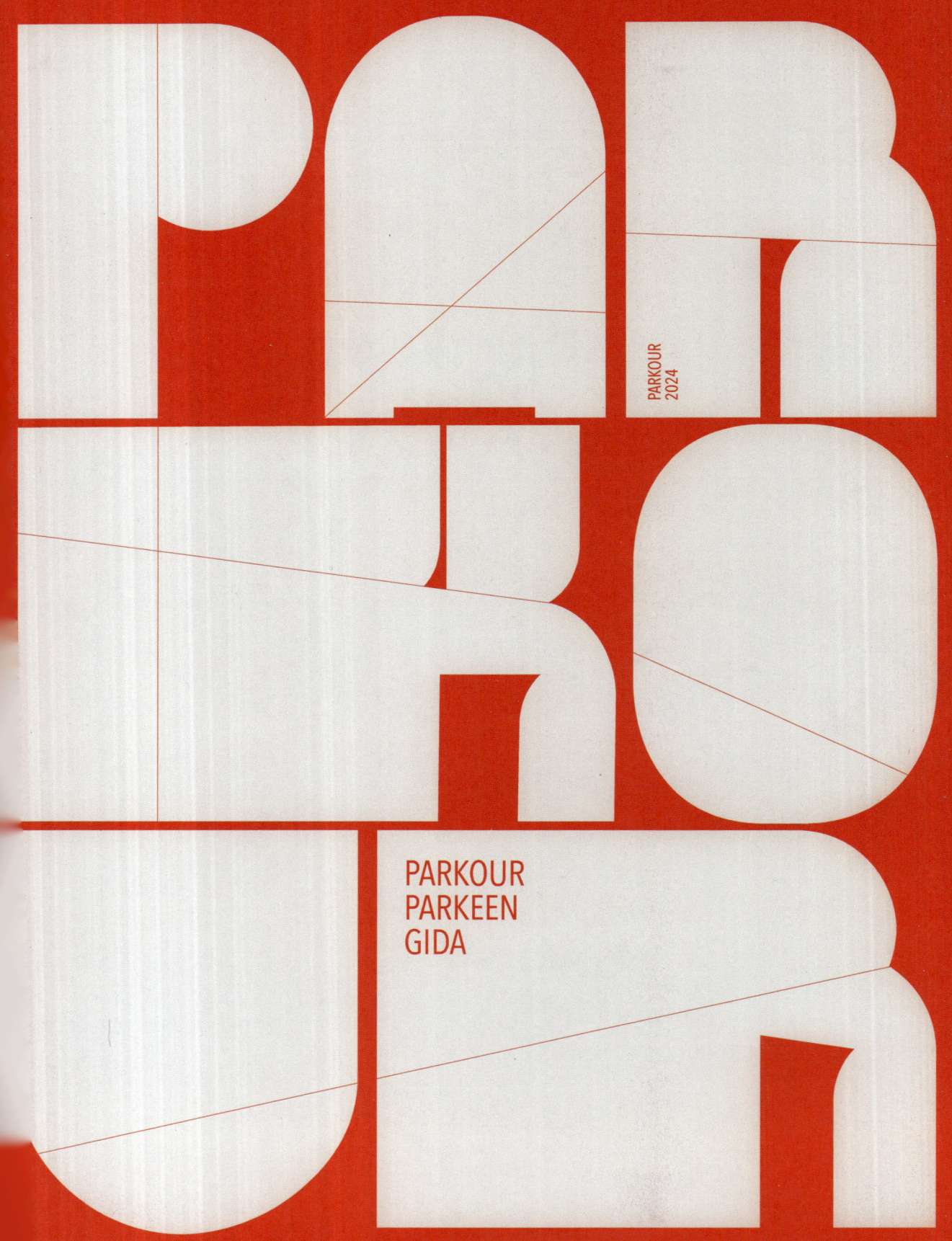

PARKOUR
2024

PARKOUR
PARKEEN
GIDA

Aurkibidea

01

SARRERA

1.
SARRERA

Parkourra geroz eta ezagunagoa da eta espazio publikoetan parkourparkak sortzeko proiektu geroz eta gehiago daude, baina orokorrean ezagutza falta asko dago, eta gutxienez Espainiako estatuan aurrekaririk ez dagoenez, zalantzak sortzen dira aire libreko parkourreko instalazio publikoak nolakoak izan behar direnaren eta nola antolatu eta erabili behar diren inguruan. Horregatik, askotan egiturak urriak eta arriskutsuak izaten dira, herritarrek ez dituzte erabiltzen edo zaleentzat ez dira interesgarriak izaten.

Espero dugu gida hau askorentzat erabilgarria izatea, adibidez, arkitekto paisajista bazara eta zure planean parkourpark bat jarri nahi baduzu, proiektu bat kontzeptualizatzen ari den kirolaria bazara, edo zure udalerriarentzat parkour eremu bat eskaintzea pentsatzen ari den hirigintza teknikaria bazara. Hala eta guztiz ere, gida hau irakurri eta aplikatzeak ez du esan nahi ingeniariek edo arkitektoek diseinuak eta eraikita dauden eraikuntzak berrikusi behar ez dituztenik. Bestalde, arazoak, antzekoak egonez gero, gida aplikatzea edo horren jarraipena egitea ez da egileen erantzukizuna izango.

Gida honetan bakar-bakarrik parkourpark publikoak, kanpoaldekoak eta iraunkorrak landu dira. Ez da aipatzen material eramangarririk, ekitaldietarako egitura desmuntagarririk ezta kiroldegietako edo kirol zentro pribatuetako barneko instalaziorik, baina parkourpark horietan gida honetan aipatutakoak aplikatu daitezke.

Gidaren helburuak

Ongi etorri Bizkaiko Foru Aldundiaren KIROLGUNEAK programaren parkourparken gida honetara. Agiri hau irakurri eta gero:

1.   Parkour/ADD jarduera, bere praktika, arriskuak eta onurak hobeto ezagutuko dituzu.

2.   Parkourpark baten funtzionalitatea ulertuko duzu eta kalitate eta erabilgarritasun hoberenak izan ditzan beharrezkoa den guztia ere bai.

3.   Proiektu bat sortzen denean zein araudi eskatu behar den jakingo duzu eta proiektuaren aukerak baloratzen eta optimizatzen ikasiko duzu.

4.   Hala nahi izanez gero, instalazioaren erabilera baloratu, dinamizatu edo osatu ahal izango duzu.

Zer da zehazki parkourpark bat eta zergatik da interesgarria?

P_**arkourpark**_ bat edo parkour eremu bat kirol instalazio bat da. Bertan, askotariko oztopoak egoten dira, hala nola murruak, barandak, hormak, aldamioak eta bestelakoak, eta konfigurazio, altuera, material eta banaketa ezberdinak izaten dituzte; azken horiek egokiak eta interesgarriak izan behar dira, eta asmoa kaleko oztopoak modu hoberenean kopiatzea da, hala, kirola egiteko. Skateparkak eta rokodromoak bezala, prestatuak ez dauden espazioetan (kalea edo natura) sortzen den jarduera batentzat pixka bat kontraesankorrak dira, eta ohiko entrenamendu guneentzat osagarri gisa jarduten dute, baina ez dituzte ordezkatzen.

Egiaz, kaleko aisialdi jarduerak dira eta ez daude pista jakin batera mugatuta. Hau da, aktiboki askotariko inguru eta oztopo konbinazioak bilatzen dituzte eta nagusiki auto-ikaskuntzaren bidez ikasten eta lehiaketarik gabe praktikatzen dira. Aurrekoari eutsiz, parkourparken asmoa desplazamenduaren artea modu seguruan egitea sustatzea da: kirolarien aisialdi aukerak gehitzen dituzte eta ume zein hasiberrientzat hastapena errazten dute.

Kalean ohikoak diren aukerez haratagoko espazio ezberdinak eta esklusiboak sortuz, parkourpark berriek balio eta estimu handia sortzen dute horietan eta horietatik kanpo entrenatzea erabakitzen duten ohiko zaleen artean. Halaber, erabilera bikoiztu daiteke, kalistenia entrenatzeko eta bestelako diziplinetan edo jolasetan aritzeko espazio egokiak baitira.

Desplazamenduaren artea mota guztietako mugimenduen bidez inguruko oztopoekin egiten den sormenezko elkarreragina da. Zehazki, *parkourrean* kirolariak leku batetik bestera joaten dira kontrolarekin, abiadurarekin eta efizientziarekin eta, horretarako, trebetasun naturalez baliatzen dira, besteak beste, korrika egiten, lau oinetan ibiltzen, salto egiten, irristatzen edo eskalatzen. Parkourra militarren entrenamenduetan eta inguru oldarkorrean eta gerran oztopoak gainditzeko nabigazioan oinarrituta sortu zen, eta helburua larrialdi egoeretarako (hala nola norbere burua babestea edo hirugarrenei laguntzea) trebetasun erabilgarriak garatzea da.

Paraleloki, *freerunning* delakoa libreagoa, sormenezkoagoa eta akrobatikoagoa da eta askotariko trikimailuak, akrobaziak, dantza elementuak eta abar barne hartzen ditu, modu horretan, parkourraren aukerak zabalduz eta biderkatuz. Normalean, "parkour" hitza erabiltzen da diziplina horietaz guztietaz hitz egiteko. Horregatik, parkourpark deitzen zaie desplazamendu artearentzako eta bere azpi-diziplinentzako espazio espezifiko guztiei. Gida hau idatzi den unean, freerunning modalitatea ospe gehiago hartzen ari da.

Diziplina horien elementu zentralak dira mugitzeko trebetasun baliagarriak garatzea, gorputza oso-osorik orekatuta indartzea eta norbere hazkundea eta garapen pertsonala, beldurrak gainditzen baitira. Horregatik, parkourraren onura nagusiak osasunarentzat dira: hanken eta goi atalaren oreka, indarra eta potentzia hobetzen dira; gainera, onura psikologikoak ere baditu, besteak beste, antsietatea maneiatzeko, fluxu edo "flow" egoeraz gozatzeko edo nortasuna indartzeko baliagarriak. Bat-bateko jolasa edo sormen artistikoa ezinbestekoak dira, garapen motorrean eta umeen esplorazioan gertatzen den bezala, independentzia eta inguruaren ikuspegi alternatiboa eta positiboa garatzen dira eta oztopoak aukera gisa ikusten dira. Etapa aurreratuagoetan, diziplina, lan gogorra, esfortzu fisikoa, konstantzia eta pertseberantzia garrantzia hartzen joaten dira. Parkourra lehiaketarik gabe eta

bakarka baina gizartean egiten denez, oso ohikoak eta garrantzitsuak dira komunitate sentimendua eta kideen elkar babesa eta laguntza. Kide horiek askotan ezezagunak izaten dira, egun batean, kasualitatez eta ustekabean entrenamendu lekuan elkar ezagutu arte.

Parkourra bereziki erabilgarria eta iraultzailea da, parkourrean aritzeko ez baita materialik edo bestelako tresnarik behar. Doan eta edozeinek parte hartzeko espazio inklusiboa sortzen da, bakoitzaren diru sarrerak edo klaseak albo batera utzita.

Hala ere, mehatxuak argiak dira: inguruan egon daitezkeen arriskuak eta hasiberriek ezagutza eta zentzu nahikorik ez izatea edo maila aurreratuagoa dutenak imitatzea behar besteko trebetasunik eta kontrolik gabe. Horren guztiaren ondorioz lesio traumatikoak sor daitezke, teknika eskasa dutenek kronikoak edota beldurra dutenek frustrazio sakona sentitu daiteke, baina gida egoki batekin, aurrekoak ekidin eta murriztu daitezke: adibidez bideo tutorialak, irakasleak edo entrenamendu kideak lagungarriak izan daitezke eta beharrezkoa da ere instalazioak seguruak izatea eta egoera onean egotea. Horretarako sortu da honako gida hau.

Gida hau idatzi den unean, Bizkaiko zale gehienak 14-22 urteko mutil gazteak dira, esperientzia gutxi edo nahikoa dute, autodidaktak dira eta haien kaxa antoltzen dira. Badaude ume, gazte eta helduentzako eskolak eta ikastaroak ere, eta horietan neskatoek, emakumeek, adin txikiagokoek eta adin ertaineko helduagoek gehiago parte hartzen dute, baina gidatutako jarduera horiek ez dira kirolari gehienen erakusgarri. Hala eta guztiz ere, parkourpark publikoak daudenean, errazagoa da mota guztietako profiletako jendea beldur gutxiagorekin hastea, bereziki Interneten parkourra ezagutu duten neska-mutilak. Gainera, beren familiek eta tutoreek begi onez ikusi ohi dute helduen inguru prestatu horretan parkourra esploratzea. Helburua aire zabalean egiteko jarduera orokor bat bilatzea da, baina, hasiera batean, kaleko zementuak edo metalak sortzen duten inpaktuak eta arriskuak murriztuz. Era berean, elkarrekin egoteko lekuak dira eta zaletuen pasioa eta gizarte harremanak indartzen dituzte horien iraunkortasunean lagunduz eta, azkenik, bizitza aktiboagoa, osasungarriagoa eta bizigarriagoa izatea errazten dute.

Bukatzeko, orain dela gutxi, gimnasiako federazioak parkourra barne hartu du. Hala, kirol federatua izango da eta laster egongo dira entrenatzeko espazio gehiago behar dituzten kirolariak.

Hala eta guztiz ere, parkourpark publikoak daudenean, errazagoa da mota guztietako profiletako jendea beldur gutxiagorekin hastea, bereziki Interneten parkourra ezagutu duten neska-mutilak.

Parkourra egitea eta oztopoak erabiltzea

Parkourpark on bat zer den ulertzeko, parkourra nola egiten den xehetasunez ulertu behar da. Parkourra eta freerunninga egiten hastean, lehenengo gauza bakoitzak espazioa eta ezaugarriak ikuskatu eta aztertzea da: formak, tarteak, distantziak, ehundurak, ekidin beharreko arriskuak, etab. Ondoren, gorputza berotzen eta aktibatzen da, ingurua esploratzen da pixkanaka zailagoak diren teknika edo erronka isolatuen bidez eta, horrela, inguru guztia benetan eta hoberenen ezagutzen da. Kirolariek interesgarriak edo desafiatzaileak izan daitezkeen forma edo espazioak ikusi eta erakargarriak hautematen dituzte, eta saioaren erronka nagusiak leku horietan garatzen dituzte. Orokorrean, erronka horiek bakoitzaren muga eta oztopo mentalen inguruan sortzen dira, baina, azken finean, fisikoki eta gorputzarekin adierazten dira. Hasiberriek, gainera, buruan dituzten teknikak ikasteko leku egokiak eta seguruak bilatzen dituzte, justu kontrara. Gero, orokorrean, entrenatzen jarraitzeko elementu ez hain zailetara igarotzen dira, eta logikoa da zailtasun gutxiago duten, baina luzeagoak diren bideak eta konbinazioak sortzea. Ohikoa da espazioaren sekzioa edo entrenamendu zona eta lekua aldatzea eta ondoren jarraitzea eta prozesua errepikatzea. Bukaeran, beti dago aukera lasaitasunera bueltako ariketa geldiagoak egiteko.

Espazio horien erabilera, berauek sortzen duten erronken edo desafioen inguruan garatzen da. Sinplifikatuz, egitean eta ebaztean oinarritutako erronkak eta desafioak daude. Egite erronketan, osatu beharreko erronka teknikoak edo ikasteko edo hobetzeko errepikapenak egiten dira, eta beti egoten dira aurretik finkatuak eta definituak. Arazoak ebazten direnean, paradigma zabalagoa da: aukerak esploratzen dira, inprobisatu egiten da, eta arazo horiek norbere buruak jarritako arauekin ebazten dira. Egite erronkaren adibide bat hankak elkartuta daudela bi baranden artean salto bat osatzea eta lurreratzean oreka mantentzea izango litzateke, eta arazoak ebaztearen adibide bat "lurra laba dela" esatea eta inguruko elementuak erabiliz, edo horiek erabili gabe, baranda batetik bestera gurutzatzeko modua bilatzea litzateke, abentura horretatik bestelako mugimenduak edo erronkak sor daitezkeelarik.

Exijentzia mentalak markatzen du erronken iraupena: nahita aukeratutako salto solteak egin

Kirolari bat entrenatzen ari da, eta beste batzuk atseden hartzen ari dira, horma batetik begira, txandaka.

ohi dira, elkarren segidako teknikak konbinatzen dira, planifikatuta edo erdi-inprobisatuta puntu eta norabide ezberdinetan bereizitako bideak edo zirkuituak osatzen dira eta, iraupen luzeenetan, aurretik aipatu ditugun erronka irekiak gauzatzen dira esplorazio edo arazo moduan. Mugimendu indibidualak entseatzen eta errepikatzen dira modu isolatuan, adibidez, azalera batetik bestera korrika salto egitea, edo ibilbideetan konbinatzen dira. Kirolarientzat garrantzitsua da arintasuna eta mugimenduen artean etenik gabeko konexioak sortzea. Horregatik, erronka horiek eraikitzea, hobetzea eta errepikatzea, literalki, parkour egitea da.

Bakoitza bere kasa mugitzen den arren, gehienetan, dinamika soziala eta taldekoa da: erronkak partekatzen dira, besteak inspiratzen edo motibatzen dira, erortzeko zonak babesten dira, etab. Gehienetan, kirolariak txandakatu egiten dira eta gainerakoen saiakerak ikusten dituzte beren esfortzuetatik berreskuratzen diren bitartean,

eta prozesuan ikasi egiten dute edo informazio erabilgarria ematen dute.

Eguneroko praktikaren, entrenamenduaren eta ikaskuntzaren gakoetako bat progresioa da, zailtasuna eta intentsitatea mailakatzeko gaitasuna: estilo ia-ia estatiko eta leunarekin jardun daiteke, edo oso dinamikoa eta inpaktu handikoa den estiloarekin ere bai. Aurreko ideia hori ezinbestekoa da. Horri esker, desplazamenduaren artea praktikatzen hasteko sarrera-hesirik ez dago eta garatu eta hobetzeko potentziala, aldiz, mugagabea da.

Asko sinplifikatuz, parkourra lau mugimendu familiatan oinarrituta dago. Kategoria hauek oso zabalak eta ez-zehatzak dira, baina tresna erabilgarriak dira ikusteko nola askotariko egiturek mugimenduaren alderdi ezberdinak gaitzen edo baztertzen dituzten:

1. Jauziak

- Nagusiki egituren artean egiten dira.
- Zutik, korrika edo beste salto edo mugimendu batekin has daitezke.
- Altuera eta dimentsio guztietako egituretan egiten dira eta horietatik edo horietara salto egiteko erabili daitezke, baina distantzia (gorputzaren bi luzera baino gehiago) eta altuera (buru gainetik) handiak direnean, bakarrik kirolari apartekoenek eta aurreratuenek egiten dituzte.
- Zehaztasunez eta orekaz lurreratzea edo "iltzatzea" saltoetan eguneroko erronka ohiko eta errepikakorra da.

2. Eskalada/Kulunkatzea eta eskalatzea

- Eskuekin egituretatik eskegita egiten dira; egiturak nahikoa altuak izan behar dira gorputz osoa luzatuta dagoela eskegi eta lurra ez ukitzeko, eta erosotasunez heltzeko ertza izan behar dute.
- Kulunkatzeko, barra borobil bat atzamarrak bere inguruan biltzeko bezain mehea izan behar da; parkourpark askotan aldamioak besterik ez daudelarik.
- Helduleku txikiak izaten dituzten arroketako eskaladan ez bezala, parkourreko eskalada nagusiki dinamikoa da eta azalera lauak eta helduleku "errazak" dira nagusi mugimendu handiak eta indartsuak egiteko, aurretik abiada hartuta ala ez.

3. Gainditzea/Oztopo-jauziak

- Nagusiki eskuak egituretan jarriz egiten dira, adibidez, murruetan edo barandetan.
- Gerri mailan geratzen diren edo 1 m baino gutxiago duten egiturak (zehazki, belaunen eta bularraren artean geratzen direnak) dira egokienak horretarako eta arintasunerako (ikus behean).
- Eskarmentudun kirolariek aukerak bilatzen dituzte mugimendu horiek egiteko eta dinamikoki hutsune bat saltatu eta beste egitura batean lurreratzeko, bereziki, lurreratze gunea aireratze oztopoa baino baxuagoa edo altuagoa denean.

4. Akrobaziak

- Freerunnerrek egiten dituzten saltoetan eta mugimenduetan gorputzaren errotazio eta/edo inbertsio elementuak egoten dira.
- Mugimendu akrobatikoak egiteko, orokorrean hobe da egitura bat (adibidez, plataforma batetik iraultzea edo barra altu batetik askatzea) eta arriskurik gabe lurreratzeko azalera ireki eta bigun bat konbinatzea, baina kirolari aurreratuenek askotariko mugimendu akrobatikoak egin ditzakete eta beste egitura batzuetan edo horrelakoetatik gertu lurreratu daitezke.
- Inguru sinpleenak eta jendez gainezka ez daudenak egokiagoak dira akrobaziak egiteko; parkourpark bat espazio ireki eta lau batean jarri daiteke (adibidez, zelai zabal bat) eta elkarren segidako akrobaziak egin ditzakete.

Ezagutu beharreko ezinbesteko beste elementu bat **jarikortasuna**, arintasuna edo **"flow"** delakoa da. Hau da, mugimendu bakoitza hurrengoarekin bikaintasunez kateatzea. Espazio egokia izatea garrantzitsua da. Izan ere, orokorrean, pauso eta helduleku kopurua murrizten dira, ibilbide bakoitzeko

erritmoa altua eta konstantea izan dadin. Orokortuz eta, bereziki, oztopo-jauzietarako, oztopoen artean 1 m baino gutxiago badago, ez da egoten espazio nahikorik hankak jartzeko eta 3,5 m baino gehiago badaude, zaila izaten da pauso osagarririk gabe bi salto elkarren atzetik lotzea.

Kirolari bat makurtuta dagoen horma batetik aireratu da eta akrobazia bat egin du atzerantz. X-Moveren copyrighta.

19

09

PARKOUR-PARKEEN GIDA

: ARAUDIA ETA ARAUKETA

Alba Salazar, kirolari bizkaitarra akrobaziak egiten

2.
ARAUDIA ETA ARAUKETA

Parkour instalazioetarako ez dira umeentzako jolas instalazioetarako, aire libreko instalazioetarako ezta kalistenia parke edo rokodromoetarako araudiak aplikatzen. Parkour instalazioek erabilerari eta segurtasunari lotutako berezitasun propioak dituzte, baina ez dago legeria ofizial eta bakar bat.

Parkourparketan aplikatzekoak diren legeak eta araudiak

Parkour instalazioetarako legeririk ez dagoen arren, badago Europako kalitate estandar bat. Arau hori ez da nahitaez betetzekoa, baizik eta borondatezkoa. Oso gomendagarria da parkourparkak diseinatu eta eraikitzeko proiektuak lehiaketara ateratako dituzten udalerriek araudi hori proiektuaren aurretiazko baldintza gisa betetzeko eskatzea, modu horretan, dagokion proiektuak gehieneko kalitate eta segurtasun maila izan dezan.

Araua hauxe da: Normalizaziorako Europako Batzordearen eta Espainian AENORek argitaratutako **"UNE-EN 16899:2017. Kirol eta aisialdi ekipamentuak. Parkour ekipamendua. Segurtasun baldintzak eta entsegu metodoak"**. Araua betetzen duten produktuak seguruak dira.

Arauak dio ezinbestean kontsultatu eta jarraitu behar direla honako araudi hauek:

- EN 206, Hormigoia. Zehaztapenak, prestazioak, ekoizpena eta onespena.

- ES 335:2013, Eguraren eta egurrarekin sortutako produktuen iraunkortasuna. Erabilera motak: definizioak, egur trinkoan eta egurrarekin sortutako produktuetan aplikatzea.

- EN 350-2:1994, Eguraren eta egurrarekin sortutako produktuen iraunkortasuna. Egur trinkoaren iraunkortasun naturala. 2. zatia: Europan garrantzitsuak direlako hautatu diren egur espezieen iraunkortasun naturalaren eta inpregnagarritasunaren gida.

- EN 351-1:2007, Eguraren eta egurrarekin sortutako produktuen iraunkortasuna. Produktu babesleekin tratatutako egur trinkoa. 1. zatia: Produktu babesleen sartzeen eta atxikitzeen sailkapena.

- EN 636, Taula kontratxapatuak. Zehaztapenak.

- EN 1177, Inpaktuak xurgatzen dituzten jolas eremuetako azaleren estaldurak. Eroriko kritikoen altueraren zehaztapena.

Arauan eta eranskinetan ezin hobeto xehatuta daude neurriak, baldintzak eta beharrezko entsegu guztiak. Parkour egitean karga dinamikoak aplikatzen direnez, ekipoaren egituraren osotasuna kalkuluen edo entseguen bidez egiaztatu behar da. Produktuak erabiltzen direnean ez dira mugitu, erori ezta hondoratu behar. Horregatik, zimendatzea eta oinarria ezinbestekoak dira; zehazki, hormigoiaren gogortasuna C25/30ekoa izan behar da. Ekipoak torlojuez lotutako konexioen menpe daudenean, bigarren mailako sistema bat izan behar dute, bibrazioek sortutako ahultzetik babesteko.

Parkourparketan parkourra egiten da, baina arauak dio bestelako diziplinetan edo jardueretan ere erabili daitezkeela. Arriskuak direla eta, parkourparketara bakar-bakarrik erabiltzaileak trebeak badira sartu daiteke eta diseinuak zaildu egin behar du ume txikiek erabiltzea. Instalazio horiek 8 urtetik gora dituztenek erabiltzekoak dira.

Desplazamenduak norberak kontrolatu behar dituenez, aurreikusten da kalkulu akatsak direla eta istripuak gertatu daitezkeela. Materialak ez irristatzeko tratatu behar dira (salbu eta euri iraunkorra, antzigar lainoa edo elurra egiten badu), baina azalerak ezin dira izan urratzaileegiak ere. Ezin da punta zorroztun osagairik edo moztailerik egon eta ertzak borobilduta egon behar dira, istripuak gertatzen badira, lesioak ekiditeko. Pasabide itxietan ez da urik pilatu behar eta mota guztietako harrapatzeak gerta daitezkeen zuloak eta zirrikituak ekidin behar dira.

Mugimendu motak eta objektuen altuerak direla eta, berebizikoa da erorikoetan arretaz jokatzea. Bakarrik eskailera buruek, barrek eta barandek okupatu dezakete erorketa espazio bat, betiere, dimentsioen zehaztapenak betetzen badit, Lurzorua estali egin behar da erorketen altuera jakin batetik babesteko, baina arauak ez dio

babes tradizionalik behar denik erorikoen aurka, nahiz eta elementu guztiak irisgarriak izan; hala, eskailera buruak ez dira babestu behar. 1,6 m baino gutxiagoko altueretan ez da beharrezkoa erorikoen aurkako lurzorurik egoterik eta, aldi berean, elementu batek ere ezin du gehieneko 3 m-ko erorketa askeko altuerarik izan.

Ekipoak modu seguruan instalatu behar dira eta dagozkien eraikuntzako eta segurtasuneko arauketa tokikoak edo nazionalak bete behar dituzte. Instalatu eta gero, gaituta dagoen pertsona batek ikuskatu beharra dago eta bakar-bakarrik segurua bada irekitzen da.

Instalazioa bestelako umeentzako edo kirolerako zonetatik behar bezala bereizita egon behar da. Informazio panel propioa ere izan behar du, arauak xehatzen dituen item jakin batzuekin.

Ekipoak fabrikatzailearen edo diseinatzailearen baldintzak betez ikuskatu eta mantendu behar dira. Arau hauste larriak detektatzen badira, berehala konpondu beharko dira edo elementu edo parke hori erabiltzea debekatu behar da. Jabeek edo operadoreek ikuskaritza programa egokia ziurtatu behar dute, dagozkion osagai eta metodoekin: ohiko ikusizko ikuskaritza batean bandalismoarekin edo meteorologiarekin lotutako arriskuak identifikatu daitezke. 1-3 hilero ikuskaritza xehea egin behar da higadura zantzuak bilatuz, eta urteroko ikuskaritza nagusi batean segurtasun neurriak ikuskatuko ditu egiaztatutako erakunde batek

Fabrikatzaileek udalak mantentze lan egokiak egiteko jarraibideak eta grafikoak eman behar dituzte eta erabiltzaileek akatsak jakinarazteko moduak egon behar dira. Azkenik, txosten guztietan jaso behar dira neurri prebentiboak eta zuzentzaileak.

Segurtasuna hobetzeko, zuzen erregistratu

behar dira sor daitezkeen istripuak; bereziki, gertatutakoaren deskribapena, sufritutako lesioa, eraginpeko ekipoa eta pertsona kopurua eta ezarritako neurriak. Jasotako informazio guztia gorde egin behar da, geroago berrikusteko.

Era berean, banatzaile jakin batzuek materialen kalitaterako, muntaketarako, ikuskaritza lanetarako eta abarrerako ziurtagiriak dituzte eta horiek, positiboki baloratu behar dira araua osatzeko.

Proiektuen arduradunei laguntzeko, arauak dio hornitzaileek eskaera onartu aurreko jarraibideak eta instalazioari buruzkoak eman behar dituztela, baina bereziki, jarraibideak sinpleak eta irudidunak izan behar dira, instalazioaren, funtzionamenduaren, ikuskaritzaren eta mantentze lanen xehetasunekin. Aurrekoez gain, operadoreari laguntza eman behar zaio ikuskaritza lanak egiteko eta arrisku espezifikoen zaintzaren inguruan ere bai. Hala eskatuz gero, entsegu txostenak ere eman beharko dituzte.

Jabeen eta operadoreen erantzukizunak

Ekipoak instalatzean dagozkien eraikuntzako eta segurtasuneko arau tokikoak edo nazionalak bete behar dira. Gomendagarria da informazio panel propioa izatea zenbait itemekin, hala nola helbidea, eman beharreko erabilera, operadorearen eta larrialdietarako telefono zenbakiak, etab. Arrisku kirolak egiteko instalazioa denez, erabiltzaileei gogorarazi behar zaie ez dela umeentzako parke bat eta ez dela gomendagarria 8 urtetik beherakoek erabiltzea.

Europako arauak dioen bezala, ekipoak ikuskatu eta ezin hobeto mantendu behar dira. Arau hauste larriak detektatzen badira, elementu edo parke hori erabiltzea debekatu behar da konpondu arte. Ohiko ikusizko ikuskaritza egitea aholkatzen da bandalismoari edo meteorologiari lotutako arriskuak identifikatzeko, eta egiaztatutako erakunde batek segurtasun neurrien ikusizko urteko ikuskaritza bat edo gehiago egitea ere bai. Txosten guztietan jaso behar dira neurri prebentiboak eta zuzentzaileak, beharrezkoa izanez gero.

Segurtasuna hobetzeko, zuzen erregistratu eta kontserbatu behar dira sor daitezkeen istripuak; bereziki, gertatutakoaren deskribapena, sufritutako lesioa, eraginpeko ekipoa eta pertsona kopurua eta ezarritako neurriak. Jasotako datuen arabera eta, bereziki, antzeko istripuak errepikatzen badira, adin tarte batzuentzat sarbidea debekatzea, edukiera mugatzea edo elementu batzuk balizatzea komeniko litzateke.

Alba Salazar, kirolari bizkaitarra akrobaziak egiten

03

: DISEINUA ETA ERAIKUNTZA

3.
DISEINUA ETA
ERAIKUNTZA

Esan bezala, parkourra ez da instalazio jakin batean egiten, baizik eta inguruak eta oztopoen konbinazioak askotarikoak dira, bakarrak, bereziak eta errepika ezinak, eta inguru naturalean zein hirian egon daitezke, leku prestatuan zein prestatu gabean. Entrenatzeko leku hoberenetan maila, trebetasun eta teknika mota guztietako erronkak ahalbidetzen eta sortzen dira, eta horiek guztiek praktikatzaileak erakartzen dituzte.

Diseinua eta eraikuntza

Espazioak diseinatzen direnean, honako _alderdi nagusi hauek_ kontuan hartu behar dira:

- **Aniztasuna:** espazioa bakarra izateko, formak, materialak eta tamainak anitzak izan behar dira. Aniztasuna gehitzeko modurik onena oztopo-mota ezberdinak integratzea da. Gainera, oztopoen arteko distantziak eta altuerak aldatzen direnean, maila bakoitzean hobetzeko erronka eta aukera gehiago sortzen dira. Barra altuak nagusi diren eremu batean, ziurrenik ondo etorriko da murru batzuk gehitzea, eta alderantziz. Hala eta guztiz ere, arreta jarri behar da aldaketa eta desorden gehiegi egon ez dadin, dena bere neurrian egin behar da. Elementuek lauki sare bati jarraitzen ez dietenean, elementuak beti paraleloak edo perpendikularrak ez direnean eta hormaren bat okertua dagoenean, hormak 90º-etik haratago desbideratzen direnean, testura eta xehetasun bakarrak eta itxaron gabeak daudenean... horiek dira parkerik onenak, monotonia gutxitzen dutelako eta ez direlako hain errepikakorrak.

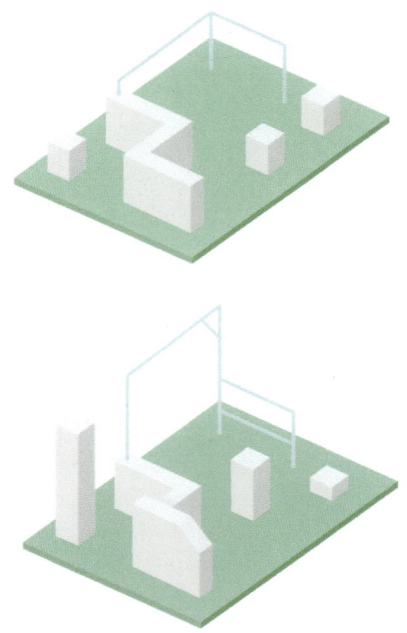

Parke anitzago baten adibidea planteamendu bati dagokionez antzekoa baina sinpleagoa eta errepikakorragoa jatorrian.

Koloniako Parkourpark, Alemania. Parkearen zati bat 45°tan birbideratzen da, hasierako laukiaren joera monotonoa aldatuz. X-Moveren copyrighta.

- **Dentsitatea:** Oztopoen arteko espazioa da; hau da, elkarren ondoan edo bananduta zein distantziara dauden. Elkarrengandik oso urruti dauden oztopo berberak ezin dira konbinatu, isolatu egiten dira, eta horregatik, banaketa trinkoagoa denean, konexio eta konbinazio gehiago sortzen dira. Kontrako muturrean, trinkoegia den parke batean ezin da korrika ezta akrobaziarik egin ezta taldekideekin lekuaz gozatu; horrelako parkeak eragozpena dira gehienbat. Gakoa tarteak funtzionalak eta seguruak izatea da, elkarrekin konektatutako ertzak eta espazio libreagoak elkartzen dituztenak.

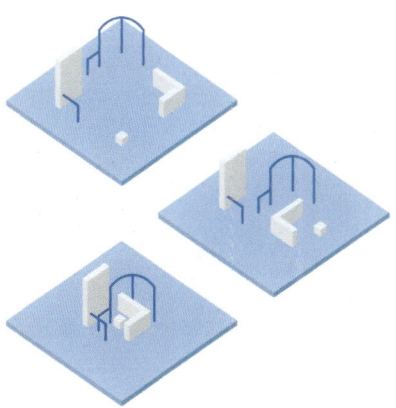

Dentsitate desberdinetan antolatutako elementu berak. Ezkerrean, egiturak oso bereizita edo gehiegi lotuta daude; eskuinean, dentsitatea ezin hobea da.

Gainera, komeni da banaketa linealak eta dimentsio bakarrekoak ekiditea. Askotariko sarbide-puntuak lehenetsi behar dira, hala, elementuen konfigurazio bereko aukerak biderkatu egiten direlako. Aldi berean, lurzoruaren azalera hobeto aprobetxatzen da eta inpaktuen aurkako azaleretan egin beharreko inbertsioa beheratu daiteke.

Aurrekoa osatuz, parkourpark batean egiturak antolatzea ezinbestekoa da mugimendu posibleak eta erronken jariakortasuna definitzeko. Zaletuek nagusiki egituren ertzekin eta aurrealdearekin elkarreragiten dute. Horregatik, erabilgarria da planoa oinarri hartuta ertz horiek aztertzea, egituren arteko harremana ulertzeko:

• **Ertz paraleloak:** Ertz paraleloek hutsuneak edo espazio negatiboak sortzen dituzte, eta mugimendu dinamikoen bidez konektatzen dira maiz, adibidez, saltoak edo kulunkatzeak. Espazioaren tamainak, alde bietako egitura motek eta guztien arteko harremanek zehazten dute beraien arteko mugimendu gama. Orokorrean, ertz paralelo nagusiek definitzen dituzte lekuaren erronka nagusiak.

• **Ertz perpendikularrak:** Ertz perpendikularrek ibilbide konplexuagoak eta norabide aldaketak egiteko aukerak sortzen dituzte parkea osatzen eta anizten.

Baranda paraleloak eta hormen perpendikularrak airetik ikusita, edo alderantziz.

Parkearen diseinua alderdi praktikoago batera eramanez, gutxieneko ertzak dituzten edo korrikaldiari eragiten ez dieten muga fisikorik gabeko parke irekiek azelerazioan sartzea errazten dute, eta horietan posible izaten da mugimendu dinamikoak abiadurarekin egitea. Horma altuak nagusiki eskalatzeko eta saltoak egiteko erabiltzen dira eta barra altuentzako ainguraketa puntu onak ere ematen dituzte, teknika bertikalagoak ahalbidetuz.

Murruak eta barandak ezinbestekoak dira mugimendu mota ezberdinen arteko trantsizio jariakorrak errazteko eta, hala, erronken aniztasuna eta konplexutasuna gehitzen dira. Elementu horiek modu estrategikoan konbinatuta, parkourpark funtzionalak, desafiatzaileak eta maila guztietarako egokiak sortu daitezke.

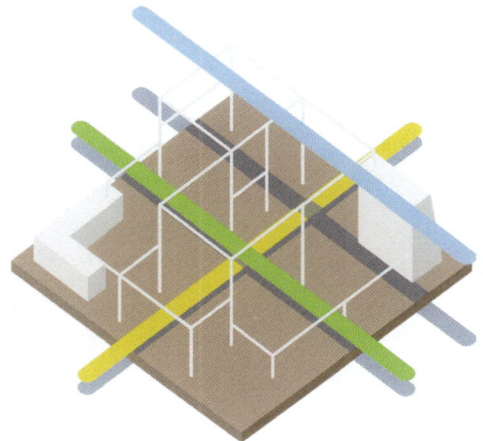

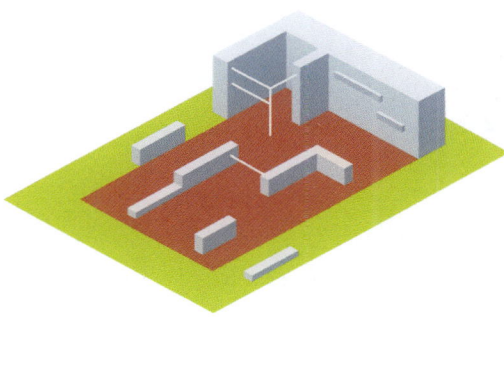

Barra altuek haien azpitik korrika egiteko aukera ematen dute, horma altuek bidea mozten dute eta barandak eta horma baxuak gaindi daitezke, baina lasterketa librea geldiarazten dute. Guztiak elementu horiek, aldi berean, goiko geruza baten berme-oinarria izan daitezke.

Ertzak: ertzik gabeko parke batek karrerilla bidezko mugimenduak ahalbidetzen ditu, oztopo baxuek konexio-aukerak biderkatzen dituzte eta oztopo altuek beste egitura batzuetarako amarraleku gisa balio duten oztopo fisikoak sortzen dituzte. Horma edo baranda iraunkorrak, muga fisikoak dituztenak, ikusleentzat ezin laburtuzkoak, eta, aldi berean, kirolarien jolaserako elementu izango direnak.

Oztopoen gaikako sekzioak eta gomendioak

Instalazio gehienek *hiru egitura kategoria* hauek dituzte: barrak, hormak (eta habeak) eta plataformak, lurzoru laua barne. Egitura horien altuera erlatiboak lagungarriak dira zehazteko zein mugimendu diren erakargarriak edo zein mugimendu egin daitezkeen. Egitura komunez aparte, egitura singularrak gehikuntza osagarria dira; berritasuna eta erakarpen bisuala eskaini ditzakete, erronka ezberdinak eta estimulatzaileak iradokiz.

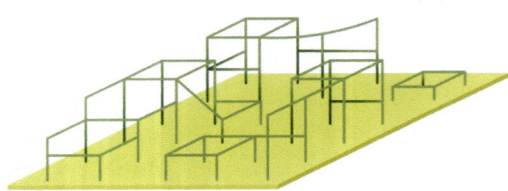

Adibideak: 1. Barra altuko parkea; 2. Horma eta plataforma goratuen parkea; 3. oztopo txikiak. Parkourpark ideala lekua egin eta urtzen duena izango litzateke hiru mota eta altuera horiek koherentziaz.

Instalazio planifikatu batean, gutxienez honako elementu hauek egongo lirateke:

- **Barra altuak, kulunkatzeko.**

- **Murruak, hormak edo blokeak, altuera ertainetik altura handira bitartekoak, igotzeko.**

- **Altuera ertaineko hormak edo barandak, horien gainetik igarotzeko.**

Salto egiteko beste sekzio baxuago bat prestatu ordez, komeni da aurreko elementuak kokatzea eta banatzea, azalera ezberdinen artean salto egitera gonbida dezaten. Egiaz, elementuak sekula ez dira beraien arteko konexioak bezainbesteko garrantzitsuak izango. Eta diseinu efiziente eta moldakorra lortzeko, elementuak helburu ezberdinak betetzeko modukoak izan behar dira. Espazio sinple eta irekiek beraietan akrobaziak egitea eta integratzea errazten dute ere.

Gainera, kirolari hasiberriek uste izango dute instalatuko den udal-parkourpark berriak udalerrian parkourra egiteko dauden gabeziak beteko dituela eta oraindik hasi ez direnek, lehen pausoak emateko aurreikusi daitekeen espazio seguru eta ez beldurgarria beharko dute. Instalazioa ona eta handia bada, kontu horiei hobeto erantzuten die, aukerak azkarrago bukatzen edo mugatzen dituzten hainbat instalazio txikirekin alderatuta.

Lehen arazo horretarako, proiektua egin baino lehen, herritarrentzat zein aukera dauden baloratu beharra dago. Adibidez, barandak eta arrapalak dituzten hirietan, zementuzko murruez osatutako parke batek potentzial handia izan dezake; edo kontrara, eskalatzeko hormarik ez duen herri lau batean, aldamioak eta horma altuak dituen parke batek mugitzeko aukera berriak sor ditzake.

Zale berriak eta desplazamendu arterik egiten ez dutenak parkourrean hasteari dagokionez (bereziki

espazio erraztailea behar duten umedun familiak), parkourpark batek arrisku gutxiko elementu multzoa eskaini beharko luke, pixkanaka eta ia arriskurik gabe praktikatzen hasteko; hori helduei ere aplikatzekoa zaie. Gutxieneko elementuen zerrendara itzuliz, honakoak izango lirateke:

▪ **Altuera ertaineko murruak edo barandak, igotzeko eta kulunkatzeko (umeentzat)**

▪ **Altuera baxuko blokeak, zintarriak edo barandak, horien gainetik igotzeko eta batetik bestera salto egiteko**

Azken proposamen horretan altura baxuko barandak, blokeak edo murru finak egon daitezke, adibidez oreka, saltoak eta oztopo-jauziak praktikatzeko, eta aurretik aipatu dugun 3 motako oinarrizkoen zerrendari gehitu ahal zaizkio. Aukera hori ere baliozkoa eta erakargarria izango da maila aurreratuagoa dutenek saltoak egiteko.

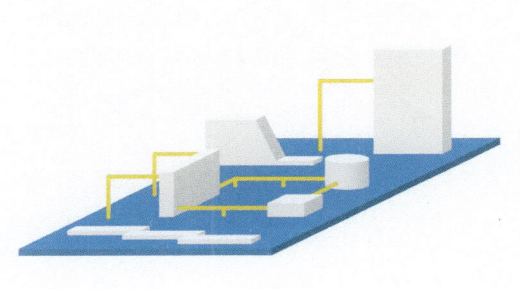

Haurrentzako sekzio batek ez du alde handirik gainerako sekzioen itxurarekin, altuera eta arrisku txikiagoetan egitea errazten du.

Gomendatutako materialak eta ezaugarriak

Materialak araudiak gomendatzen ditu. Araudia nahitaez aplikatzen ez denean, oztopoentzako, materialentzako eta estaldurentzako honako gomendioei jarraitzea komeni da, baina landu ez diren eta baliagarriak diren aukera gehiago ere badaude:

▪ **kautxuzko lurzoru babeslea,** erorikoetan gerta daitezkeen kalte larriak babesteko, baina korrika egin eta saltatzeko sendotasuna eskainiz. Ez da beharrezkoa 1,6 m baino gutxiagoko elementuak babestea. Kautxuak eta material sintetikoak erradiazio ultramoretik eta oxigenotik babestuta egon behar dira eta materialak berrikusteko eta ordezkatzeko epea finkatuta egon behar da. Komeni da parkea lurzoru lauan edo hainbat maila lauetan instalatzea. Bestelako estrategiak ere badaude, hala nola pinuen azala edo harea, eta baliagarriak izan daitezke parkearen diseinu orokorraren edo oztopo moten eta altueraren arabera, baina ez dira hain unibertsalak, ez baitira hain sendoak eta gaineko lauguneak eta azalerak irristakorrak bihurtu baititzakete eta urraduraren gatik bestelako elementuak kaltetu baititzakete. Sekzio batzuk babestu gabe utzi daitezke, eta soropila baliagarria izan arren, ez da gomendagarria, oso azkar sufritzen baititu puntu jakin batzuetan behin eta berriz egiten diren korrikaldi eta lurreratze errepikatuen kalteak.

Elementu altuek (ezkerrean) lurzoru babeslea behar dute, eta baxuenek, berriz, ez. X-Moveren copyrighta.

▪ **Barnealdetik indartutako hormigoizko altuera ezberdineko murruak eta paretak, armatuak edo masan;** lauak eta heltze onekoak izan behar dira, baina kanpoaldea ez urratzailea izan behar dute. Hiru dimentsiotako elementuak baldin badaude ehundurekin eta abarrekin, bereiziak eta nabarmenak izan behar dira. Orokorrean, alde batetik, azalera bertikalekin elkarreragiten da oinetakoen zolaren bitartez trakzioa behar delako. Horregatik, akabera irristagarri guztiak ekidin behar dira. Beste alde batetik, tope horizontalekin oinetakoen eta estali gabeko eskuen bitartez elkarreragiten da. Horregatik, azalarentzat eta oinetakoentzat zimurtsuak eta moztaileak diren akaberak ekidin behar dira. Ertzak pixka bat alakatzen badira, puntu hori erosoagoa izaten da kirolarientzat. Etengabe erabiltzearen ondorioz

hormatik askatzen ez diren eta desegiten ez diren akaberak erabili behar dira. Goratutako habeek nagusiki salto egiteko eta gainditzeko egitura gisa funtzionatzen dute; horien ordez hormak jartzen direnean, materialak aurrezten dira eta parke bati ikusgarritasuna eta ikusmen-sakontasuna ematen diote. Habeak hobeto erabiltzen dira aplikazio baxuagoetan, eskaladako mugimendu gehienak ez baitituzte jasaten. Ertzaren profila hormetakoaren antzekoa da. Fabrikatzaile batzuek tratatutako egurrezko elementuak edo azalera sintetikoak egiten dituzte (adibidez, plastiko gogorrak), eta elementu baliagarriak izan arren, ez dira hain ohikoak; material horiek bestelako finkatzeak behar dituzte eta konpontzeko ikusgai egon behar dira, baina aldi berean, erabiltzaileentzat arrisku gutxikoak izan behar dira. ▪

Ejemplo de bordes biselados y en 90º.

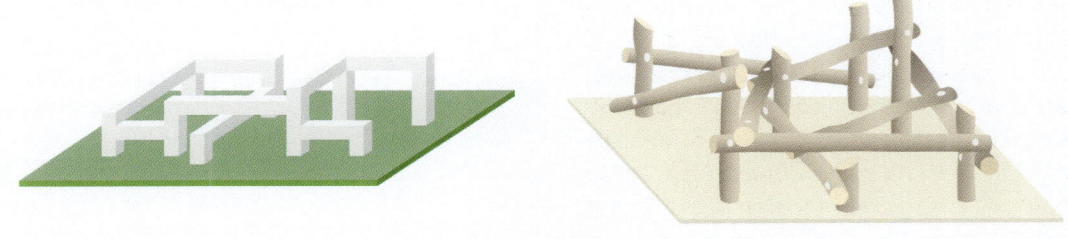

- **Metal herdoilgaitzez egindako barandak eta aldamioak** luzera txikikoak izan behar dira eta deformatu gabe kirolarien karga dinamikoak eusteko gai izan behar dira, bai errepikatutako lurreratzeen inpaktuarengatik, bai eta kulunka oldarkorren trakzioengatik. Soldatutako konexioak dira parke iraunkorretarako aukerarik onena; komeni da gutxienez 2 barra horizontal konektatzea, hormetara lotzea eta egonkortasuna hobetzeko beraien artean diagonalak gehitzea. Aldamio egituren eta baranda sekzioen abantailetako bat beraien artean ikusi daitekeela eta espazioari zabaltasuna ematen diotela da. Kulunkatzeko egokia den barra altu batek ezin du 7 cm baino gehiagoko diametrorik izan; kontrara, kulunkatzean eskuekin irristatzea posibleagoa izango litzatekeelako. Altuera txikian, habe edo horma gisa jarduten duten lodiera handiagoko hodiak jar daitezke. Euria ari duenean edo hotz denean gutxien erabiltzen diren elementuak dira, irristatzeko aukera nabarmenarengatik. Horregatik, kalitatezko altzairuzkoak izan behar dira eta korrosioa, oxidazioa eta ezkatatzea ekiditeko tratatu egin behar dira.

Soldatu beharrean ukondoz edo errematxez lotzen diren egiturak sendoagoak dira eta horma eta hesi biribilduen izkinak seguruagoak eta atseginagoak dira.

Zenbaitetan, parke batzuetako lurzorua hezea eta irristakorra izaten da, murruen akaberak edo lixatzeak irristakorrak izaten dira edo azalerak zimurtsuak eta moztaileak, barra metalikoak finak eta ahulak izan ohi dira edo material eta akabera babesleak irristakorrak eta hauskorrak izan ohi dituzte. Jakin behar dugu, diseinuarengatik edo bandalismoarengatik, espazioak bere propietateak mantendu behar dituela, margotuta egon edo ez.

Parkeak ahalik eta denbora luzeenean gozatuak izan daitezen, instalazioaren argiteria berrikusi beharko da, bereziki, neguko arratsaldeak eta udako gauak optimizatzeko, beharbada une horietan, eguzkia dela eta parkea gutxiago erabiltzen delako. Puntu hori oso garrantzitsua da. Izan ere, elementu batzuek sortzen dituzten itzalek beste oztopoak edo erabiltzaileak ezkutatu ditzaketelako, arriskua gehitzen. Parke gehienak margotu gabe uzten diren arren, koloreen kontrastea kontuan hartzea lagungarria izan daiteke.

Gure lurraldeko klima dela eta, saiatu behar gara material horiek askotariko baldintza klimatikoetan ezaugarriak mantendu ditzaten eta elementuekiko esposizioa dela eta azkar hondatu ez daitezen.

39

Segurtasun alderdi garrantzitsuak diseinuan

Aipatutako araudiaz haratago, eta are gehiago araudia betetzea eskatzen edo aplikatzen ez bada, instalazioa ahalik eta seguruena izateko espazio eta erabilera egoera batzuk aurreikusi behar dira. Mugimendu dinamiko batean huts egitean, mota guztietako erorikoak eta kolpeak gerta daitezke, baina praktika autonomoa izanik, praktikatzaileek beren gain hartzen duten arriskua baxua edo ertaina-baxua izaten da. Normalean kolpeak, urratzeak eta zauriak gertatzen dira belaunean eta bernan eta aurrealdeko nerbio estutuak eta orkatilako bihurdura arinak ere jazo ahal dira. Gainera, esperientziarik gabeko praktikatzaileek ezagutzarik gabe gaizki kalkulatu dezakete, eta hain erraz aurreikusi ezin diren bestelako lesioak gerta daitezke. Era berean, espazioa baldintza klimatologiko ezberdinetan erabiltzeko modukoa izan behar da.

Horregatik, istripuak prebenitzeko eta kalteak gutxitzeko, arreta jarri behar dugu gutxienez aurreikusi daitezkeen honako 10 kalte iturri ekiditen, prebenitzen, ziurtatzen, ezagutzen edo gutxitzen:

- **Lurzorua:** ia-ia keinu guztiek (ondo egindakoek edo huts egindakoek) lurzoruarekin elkarreragiten dute modu batera edo bestera. Horregatik, lurzorua laua eta aurreikusteko modukoa izan behar da. Irregulartasunak, zuloak, maila aldaketak edo hankak harrapatuta geratu daitezkeen edo huts egiteko arriskua duten aurreikusi ezinezko puntu arriskutsuak ekidin behar dira. Maila aldaketak, eskailerak, zintarri mugatzaileak eta antzekoak daudenean, nabarmenak eta argi eta garbi ikusgarriak izan behar dira. Ura eta uraren iragazketa zuzen kanalizatu behar dira gune hezeak, putzuak eta antzekoak ekiditeko eta murrizteko.

- **Sendotasuna:** egitura aurreikusteko modukoa, sendoa eta mugiezina izan behar da. Ez da egon behar diseinuarengatik mugikorra den, egoerarengatik ezegonkorra den edo instalazio eskasa duen elementurik. Instalatutako oztopoek jasan behar dituzten indarrak oso handiak izan daitezkeenez, egiturak behar bezala fikatu behar dira askotan atal bat lurperatu eta ainguratu beharra dagoelarik, elementu bakoitzaren alturarako nahikoa perimetro lurzoru izan behar dute eta materialak ezin hobeak izan behar dira.

- **Materialen trakzioa:** espazioak erabiltzaileei trakzioa eman behar die. Oinetakoentzat ez da irristakorra izan behar, ezta urratzailea klima eta ingurumen baldintza ezberdinetan. Lurzorua hezea edo bustita dagoenean erabiliko dela aurreikusi behar da (metalezko elementuak ez ordea) eta hasiberriak hormetan irristatuko direla eta besaurretako eta eskuetako azala urratuko dutela ere bai. Horregatik, materialen tratamendua eta aukeraketa zaindu behar dira.

- **Izkinak:** Elementu guztiek, lurzoruak ez ezik, izkina zorrotzak, kamutsagoak edo borobilagoak izan ohi dituzte. Elementu horiek ez dira arriskutsuak ongi erabiltzen badira, baina kalteak sor ditzakete kale egitekotan edo kolpeak edo erorikoak gertatuz gero. Izkinak, puntak eta abar alakatu edo borobildu daitezke, kasu horietan ehunak mozteko eta kaltetzeko duten gaitasuna murrizteko.

- **Elementu ziztatzaileak:** jarduerarako pentsatuta ez dauden konkor eta irtengune guztiak saihestu behar dira, hala nola iltzeak, errematxeak, ezpalak, harkaitzezko edo hormigoizko erliebeak... eta egitura bat muntatzeko erabili behar direnean, ikusgai eta babestuta egon behar dira. Kontrara, arriskutsuak izan daitezkeen ebakiak eta zauriak sor ditzakete.

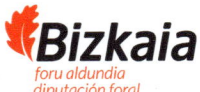

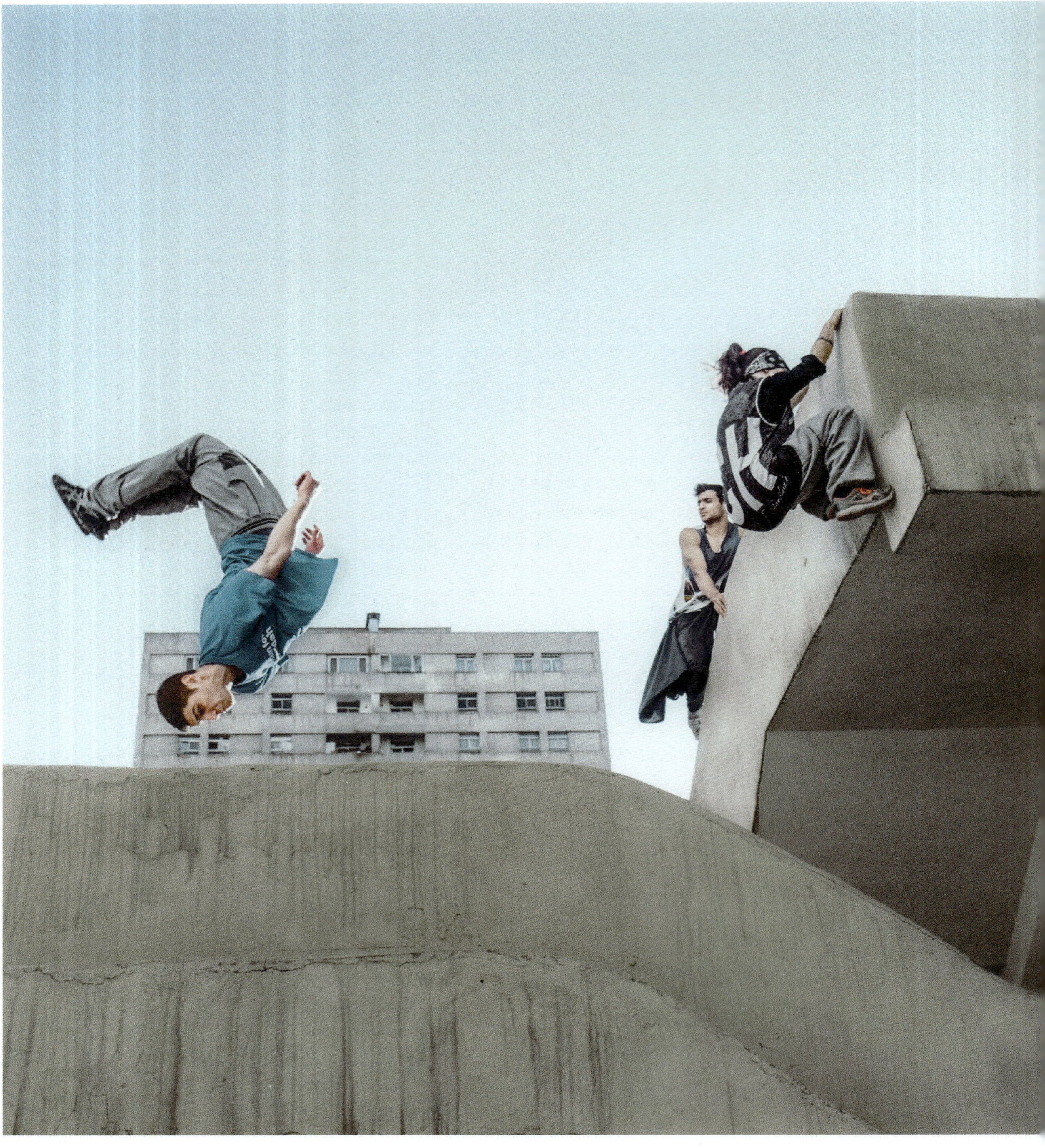

Bizkaia
foru aldundia
diputación foral

Alba Salazar, kirolari bizkaitarra parkour egiten

- **Zuloak:** mota eta tamaina guztietako zuloak daude eta gorputz adarrak, ilea eta abar harrapatu ohi dira beraietan. Diseinuan kendu egin behar dira edo agerian utzi behar dira praktika eta elkarreragin segurua eta aurreikusteko modukoa izateko. Izan ere, irekidura jakin batzuk onuragarriak gerta daitezke parkourra egiteko.

- **Altuerak:** altueran egiten diren akatsak arriskutsuagoak dira leku baxuetan egiten direnak baino. Erorketa guneetan ez da bestelako elementurik egon behar eta argiak izan behar dira. Gainera, altuera jakin batetik aurrera komeni da inpaktuak leuntzeko lurzoruekin babestuta egotea. UNE-EN 16899:2017 aplikatzen ez denean ere, erorketa askearen 3 m-ko gehieneko altueraren gomendioa errespetatzea eta gehiegizko altuerarik ez izatea komeni da.

- **Puntu itsuak:** Parkourra modu seguruan praktikatzeko gakoetako bat espazioa zuzen ikusi ahal izatea eta ezer ez aldatzea da; baina elementu batzuek, hala nola horma altuek, espazio ikusezinak sor ditzakete eta aldi berean parkourra egiten ari direnek elkarren aurka talka egin dezakete. Puntu itsuak egon daitezkeen arren, ahalik eta gutxien egon behar dira. Gainera, begi bistakoak eta kirolariek erraz bereizi ahal izateko moduak izan beharko dira edo ikusgai egoteko margotutako seinaleak izan beharko dituzte.

- **Beste erabiltzaile batzuk:** espazio handia behar duten lekualdaketak modu dinamikoan egitean, espazioan ez da elementu desegokirik egon behar, besteak beste baloiak, bizikletak edo motxilak. Gainera, espazioa inbaditzen dutenak eta oker eta aurreikusi ezinezko moduan mugitzen direnak eta instalazioa erabiltzen ari ez direnak ere kanpoan geratu behar dira. Horretarako, nahikoa da kirol instalazioan eta bereziki hurbileko kanpoaldean bankuak, iturriak eta bizikletentzako aparkalekuak eta antzekoak jartzea eta kartel baten bidez jakinaraztea parkourpark bat dela eta ez umeentzako jolastokia edo bestelako modalitateak praktikatzeko lekua. Espazio bakoitzaren erabilerak errespetatzeko, parkourpark batetik hurbil baina, aldi berean, bereizita umeentzako jolas parkea, rokodromoa edo kirol pista jartzea lagungarria izan daiteke. Modu horretan, parkourparka erabiltzaileentzat libre geratuko da.

- **Bestelako elementuak:** hostoak, adarrak, zaborra, beira eta abar badaude, kirola praktikatzea zailtzeaz gain, erabiltzaileak arriskuan jar litezke. Garbiketa txandak erregularrak eta bikainak badira, horrelako arazoak ekidin litezke. Kaleko jarduera izanik, kirolariek beraien motxilak, telefono mugikorrak eta abar begi bistaz ikuskatuz praktikatzen dute parkourra. Horregatik, parkea eta sarbideak diseinatzerakoan, aurrekoa kontuan hartzea komeni da.

Bestelako gomendio praktikoak

Parkourpark baten kanpoko ertza parkearen eta aldameneko espazioaren arteko muga da. Ezinbestekoa da kontuan hartzea muga hori espazioaren barneko ekipamenduarekin lotuta dagoela eta, horrenbestez, elementuak espaziotik sartzeko eta irteteko bideak maximizatzeko modu egokian kokatu behar dira. Garrantzitsua da jakitea ertzik ez duen espazio ireki batek bere aukerak eta angeluak biderkatzen dituela, baina hori egitea beti ez da beharrezkoa ezta egokiena ere: talkak, gainerako oinezkoei oztopatzea eta antzekoak ekiditeko sarbideak aztertu behar dira. Batzuetan, ongi definitutako ateak edo sarrerak gehitu daitezke parkearen kanpoaldean; ziurtatu behar da argi eta garbi ikus daitezkeela eta inguruko espaziotik sar daitekeela. Azkenik, parketik irtetea eta parkea hustu ahal izatea erraztu beharra dago.

Parkourrean trebatuak direnentzat, egitura guztiak edo beraien arteko espazioak deskubritzeko, jolasteko edo entrenatzeko espazio bihurtzen dira: hau da, inprobisatutako jolastokia edo gimnasioa. Horregatik, aurretik zeuden egituren (zuhaitzak, arrapalak edo hormak) ondoan kokatzen diren parkeen erabilgarritasuna eta interes potentziala biderkatu egin daitezke. Era berean, parkourparka edo parkearen aldeetako bat bestelako egitura intersgarriekin inguratzean (adibidez, apaindurarako haitz handiak, mota jakin batzuetako bankuak, harmailak, lorategietako zintarriak eta abar), kirola egiteko eta espazioa erabiltzeko lekua handitu daiteke. Hala eta guztiz ere, aurrekoak inolaz ere ez dira parkourparkaren parte izango eta horietan ez dira parkourparken eraikuntza arauak aplikatuko. Entrenatzeko hain interesgarriak ez diren hiri altzariek gainerako erabilerentzat (atseden hartzea, apaintzea, antolatzea, etab.) beren funtzioa izaten jarraitzen

dute, baina parkourpark eskas bat edo gaizki diseinatutako bat ez da ezertarako interesgarria. Gainera, kanpoaldearekin integratuta dauden diseinu guztiek aplikatzekoak diren eraikuntza eta segurtasun arauak bete behar dituzte.

Interesatuak nagusiki gazteak direnez eta instalazioa espazio osasuntsuekin lotu nahi denez, komeni da oinez, bizikletarekin edo garraio publikoan erraz iristeko moduko kokapen bat aukeratzea, besteak beste, berdegune bat edo oinezkoen plaza bat. Askotan, interesatuak modu naturalean iritsiko dira inguruko hiriko bestelako parkour zonetatik, edo ondoren horietara joango dira. Kokapena hobetzeko iturriak, bizikleten aparkalekuak, paperontziak, gerizpea duten lekuak, atseden hartzekoak eta abar jartzen dira. Halaber, aurreko guztia ere lagungarria da mesfidantza sortzen duten edo bandalismoa, erasoak eta abar gertatzen diren puntu beltzak edo kanpalekuak eta antzekoak ekiditeko.

Proiektu bat aurrera eramateko eragozpenetako bat kostua izan ohi da, baina kalitatea eta kostua ez daude beti zuzenean elkarrekin lotuta. Aurrekontu inbertsioa murrizteko eta kalitatea edo segurtasuna ez galtzeko edo, alderantziz, aurrekontuaren barnean proposamenak hobetzeko, honako hauek gomendatzen ditugu: entrenamendurako eremua murriztea, aukeratutako oztopoen altuera jaistea parkearen zati batean edo parke osoan inpaktuen aurkako lurzoru babeslerik behar ez izateko, espazioan sabairik ez jartzea edo aurrekoak konbinatzea eta eremua parkourra egiteko elementu naturaletatik hurbil kokatzea, hala nola zuhaitzak, hormak, bankuak... Aurreko guztiek eraikiko den esparru berriaren aukerak zabalduko dituzte, nahiz eta, aurretik esan moduan, ez diren kirol eremuaren parte izango.

Parkeen ereduak

Elkarrekin lehiatzen diren banatzaileen eskaintzak gehitzen ari direnez eta prezioak aldakorrak eta ezegonkorrak direnez, gida honetan ez da markaren bat edo bestea gomendatzen, eta ez da ezta ere aurrekontu eredurik ematen. Hala eta guztiz ere, parke oso onen (edo parkeetako sekzio hoberenen) ereduak eta horien inguruko iritziak jaso ditugu, eskuragarri dauden aukeren ikuspegia zabaltzeko:

Amager Strandpark, Kopenhage, Danimarka.

Hondartzan dagoen barraz osatutako parkea da. Lurzoru babeslea hondarra da eta asfaltoko pasealekutik hurbil dagoenez, parkearen aukerak biderkatu egiten dira.

StreetMovement eta Mikkel Ruggard Studioren diseinua eta argazkiak. Eskubide guztiak erreserbatuta.

Rail heaven, Kopenhage, Danimarka.

Parkerik onenetakoa zen (jada desagertuta dago). Ia-ia osorik aldamio barrekin osatua zegoen. Altuera ezberdinak zituzten eta elkarren artean korapilatuta zeuden.

StreetMovement eta Mikkel Ruggard Studioren diseinua eta argazkiak. Eskubide guztiak erreserbatuta.

Zaragozako parkourparkeko labirintoa, Espainia.

Maila eta lodiera ezberdinetako murruak konbinatuta, espazio negatibo irregular amaigabeak sortzen dira, *saltoak zein oztopo-jauziak* praktikatzeko.

Eduardo Javier Ramón Visiedoren argazkiak.

Mannheim BUGA, Alemania.

Altuera ezberdinetako murruak eta hormak, dentsi-
tate eta tamaina handikoak. *Europako parke berrie-
netakoa eta azpimarragarrienetakoa da.*

Centenial park, Fort St. John, AEB.

Parkeko oztopoak egurrezkoak dira, umeen jolas
parkeetakoak bezala.

Mannheim, Alemania. X-Moveren copyrighta.

Ehun urte Park, AEB. Parkour Visions-en diseinua eta argazkiak.

04

KOMUNIKAZIOA ETA PROMOZIOA

4. KOMUNIKAZIOA ETA PROMOZIOA

Bestelako kirol instalazio publikoekin gertatzen den bezala, une batzuetan inork ere ez ditu parkeak erabiliko. Instalazioa ahalik eta gehien erabiltzeko, honako neurriren bat aplikatzea aholkatzen dugu.

Herritarren kontzientzia eta parkourparken erabilera gehitzeko komunikazio eta promozio estrategiak

Hasiera batean, parkourpark bat espazio irekia da, erabilera librekoa eta aisialdirako pentsatua. Horrenbestez, lekua kartel baten bitartez ezagutarazi behar da. Bertan, parkeaz gozatzeko arauak eta praktika onak azaldu behar dira. Bisita bakoitzean egiten dena erabiltzaileen ardura denez, udalerri bakoitzak QR kodedun plaka bat jarri dezake. Bertan, erabiltzaileek askotariko tutorialak eta baliabideak aurkitu ahalko dituzte; adibidetzat hartu daiteke *Kirolguneak-en webgunea*. Modu horretan, inolako jarraibiderik ezta oinarririk gabeko praktika librearekin alderatuta, erabilera seguruagoa, gidatuagoa eta arduratsuagoa izatea espero da.

Bigarren maila batean, proiektu berean Bizkaiko Foru Aldundiak prestakuntza masterclasseak egin ditu eta horiek errepikatu ahal dira, edo enpresa espezializatuekin bestelako tailer berriak kontratatu ahal dira ikaskuntza jarduerak egiteko. Batez

ere, parkearen erabilera onaz eta erabiltzaileak praktikan hobetzeko eta arduraz ikasteko teknikaz eta mentalitate zuzenaz kontzientziatzeko. Hiri batzuetan kirolariak eta parkour elkarteak ere badaude. Beste aukera bat beraiekin harremanetan jartzea da, jarduera puntualen bitartez herritarrei parkearekin lehen kontaktua izaten eta oinarrizko teknikak barneratzen lagun diezaieten. Garrantzitsua da ulertzea zenbait kolektibo ez direla parkourra egiten hasiko edo ez direla oinarrietatik haratago joango sentitzen badute inolako gidarik edo laguntzarik ez dutela eta horregatik ezin dutela hobetu.

Eragile horien edo udalaren bitartez, elkarrekin egoteko eta instalazioaren inguruan zaleen komunitatea sortzeko ekitaldi bereziak ere antolatu daitezke. Topaketa horiek "RT" izena dute gaztelaniazko siglengatik.

Inaugurazio ekitaldiek eta webguneetan, egunkarietan eta tokiko telebistetan adituei edo zaleei egindako elkarrizketek instalazioa eta parkourraren alderdi positiboenak ikusarazten dituzte eta espazio ezezagun eta arrotza normalizatzen eta ulertzen laguntzen dute.

Laburbilduz: parkeari bizia emateko eta parkea positiboki zuzentzeko gakoetako bat dinamizazioa da, bai norberak zuzendua, bai eta besteen eskuetan utzitako noizean behingoa; horren bitartez, bermatzen da ez garela ezerezetik abiatuko hala nahi ez baldin bada behintzat, eta hasiberriek edo jada parkourra egiten dutenek lagun sarea eta jardueren egutegia izan ahalko dute.

Argitu beharra dago baldin eta parkeak Europako araudia betetzen badu, salbuespenak daudela parkea gainbegiratuta erabiltzen baldin bada. Hau da: gidatutako entrenamendu batean material osagarria erabili behar bada (adibidez, aldamioz egindako bestelako egitura desmuntagarri bat), material horrek ezta materialen konbinaketak ez dute araua bete behar, betiere, aditu gainbegiratzailearen ardura bada bermatzea nahikoa arduraarekin jokatzen dela eta instalazioak modu egokian erabiltzen direla. Horrek ez du esan nahi udalak ez dituela materialaren inguruko ziurtagiri edo aseguru jakin batzuk izan eta bete behar. Aurreko guztia ongi eginez gero, kasu horietan istripuak edo arduragabekeriak gertatzen badira, gainbegiratzailearen ardurakoak izango lirateke.

Nola inplikatu tokiko komunitatea parkourparkak garatu eta egoera onean mantendu daitezen

Parkourpark berri bat eraikitzeko proiektua hasten denean, egokiena pertsona edo erakunde eskudun baten aholkularitza jasotzea da. Kokapenaren egokitasuna, diseinua, publiko hartzailearentzako irisgarritasuna eta abar aztertuko dira. Aholkularitza horretan, era berean, publiko hartzailearen zalantzak eta kezkak erantzun daitezke. Horretarako, udalak edo eragile pribatu batek inkestak edo partaidetza programak antolatu ditzake.Concretamente, se ha hecho referencia a la singularidad del parque, por lo que este debería cubrir carencias del municipio o comarca en materia de parkour. Algunos ejemplos podrían ser barras de andamio por su escasez, muros cuando el resto del municipio consista de barandillas, foso de arena si se contempla facilitar el entrenamiento de acrobacias, etc.

Zehazki, parkearen berezitasuna aipatu denez, parkeak udalerriak edo eskualdeak parkourraren inguruan dituen gabeziak bete beharko lituzke. Adibidez: aldamio barrak jartzea herrian horrelako gutxi daudelako, hormak jartzea udalerrian barandak besterik ez daudelako, hondarrezko zuloak akrobaziak entrenatzeko lekua sortu nahi bada, etab.

Bizkaia
foru aldundia
diputación foral

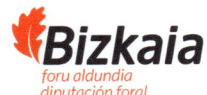

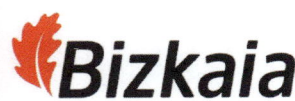

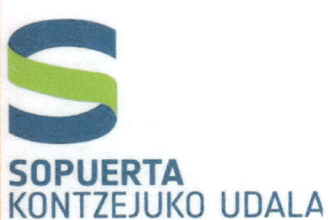

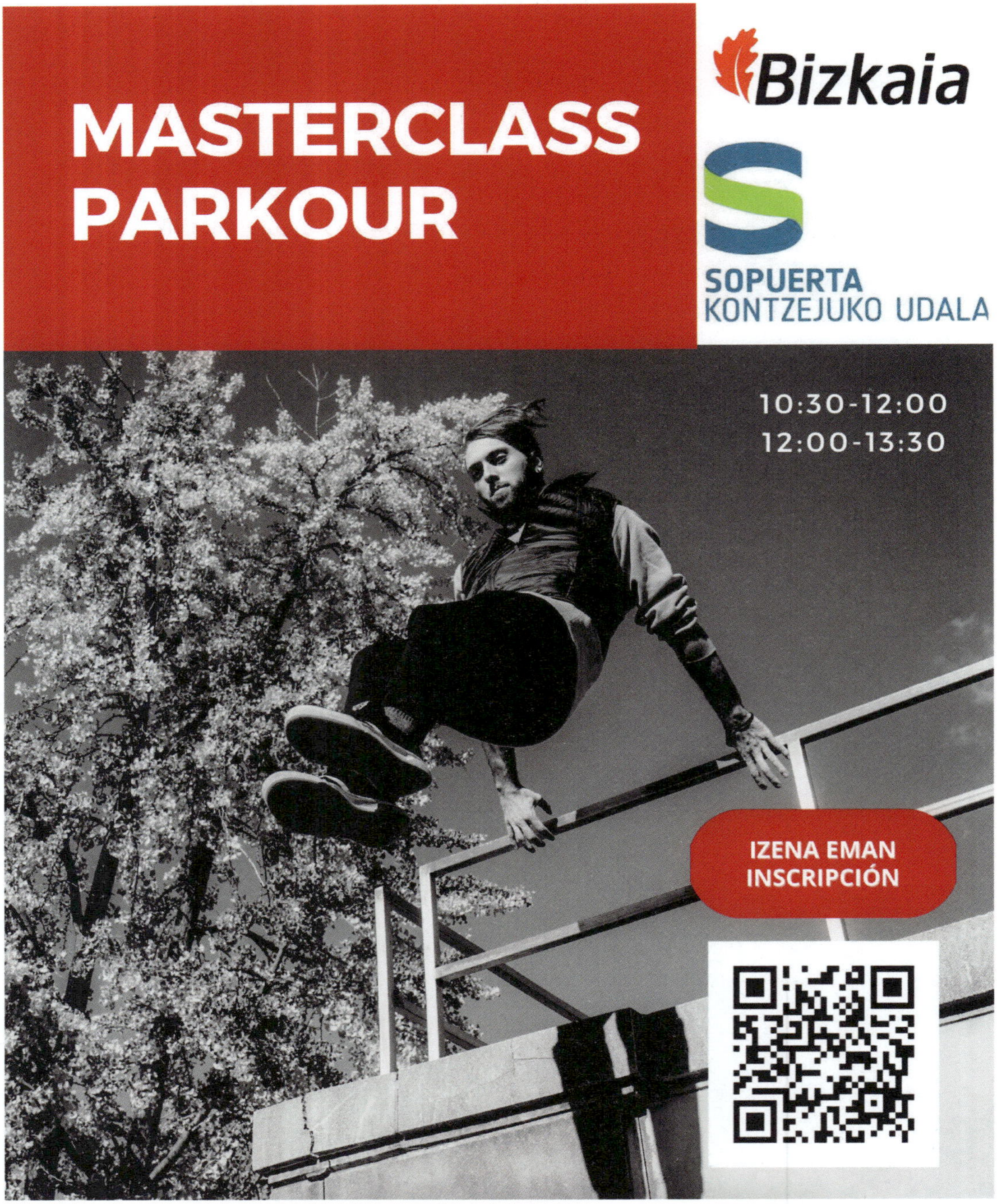
MASTERCLASS
PARKOUR
Bizkaia
SOPUERTA
KONTZEJUKO UDALA
10:30-12:00
12:00-13:30
IZENA EMAN
INSCRIPCIÓN

Baliteke zenbait unetan instalazioa inork ere ez erabiltzea. Une horiek gutxitzeko, informazioa gehitzea egokia litzateke; adibidez, parkourra zer den eta espazioa nola erabili azaltzen duen informazio panel bat. Gainera, bestelako ariketak ere azaldu daitezke, adibidez kalisteniakoak, oreka hobetzekoak, lan posturalerakoak edo beste publiko batzuek lekua aprobetxatzeko lagungarriak izan daitezkeen gainerako jarduera osasuntsuak ager daitezke.

Aipatu dugu parkourparkek sinergien onurak eskuratu ahal ditzaketela parkourra egiteko elementu baliozko eta interesgarrien ondoan eraikitzen badira, adibidez, sartzeko arrapalak edo hormak. Eskalatzeko rokodromoen, kalisteniako barra parkeen edo bestelakoen ondoan egotea ere

baliagarria izan daiteke. Beste kolektibo batzuekin batera egotean, errazagoa da ideiak partekatzea eta pertsona berriek instalazioa erabiltzea.

Udalak edo kirol edo gazteen atalak RT motako ekitaldiak edo bestelakoak antolatu ditzake edo espazioa laga dezake erabiltzaileek antolatutako horrelako komunitate ekitaldiak egiteko. Are gehiago: parkea osatzeko eta material osagarria gordetzeko espazioa ere laga daiteke. Izan ere, material hori erabiltzen duten ekitaldiak seguruago eta errazago ikasteko lagungarriak dira eta beste modu batera ezinezkoak izango liratekeen esperientziak sortzen dira. Hala, zaletuei afizioa eta lekuarekiko maitasuna berpizten laguntzen diete. Material mugikorraren kokapena edo erabilera beti gainbegiratu behar ditu langile eskudun batek.

05

ONDORIOAK ETA GOMENDIOAK

5.
ONDORIOAK
ETA GOMENDIOAK

Gida hau idatzi den unean, Bizkaian 5 parkourpark publiko ditugu: 2 Bilbon (Sarrikon eta Matikon) eta besteak Atxondon, Gorlizen eta Sopuertan. Barakaldon beste bat eraikitzen ari dira. Matikokoa azpimarratu behar da, estalita dagoelako. Gorlizkoa berriena eta hobekien diseinatutakoa da, baina oraindik ere diseinuan eta eraikuntzan gabeziak eta faltak dituzten parkeak daude eta erabilgarritasuna, eta are garrantzitsuagoa dena, segurtasuna, arriskuan jartzen dituzte.

Espero dugu gida hau irakurri eta gero horrelako instalazioak hobeto ezagutzen dituzula eta beraien aldeko apustua egitera bultzatu zaitugula. Unea iristen denean, espero dugu probintziako parkourpark publikoen sarea zabaltzen lagunduko duzula.

Ondorio eta gomendio nagusien laburpena

Gida hau irakurri eta gero, eta zure proiektua aipatutako puntuetan oinarrituz, espero dugu honako hauek ulertuko dituzula:

• Parkourparka espazio ezin hobea da herritarren aisialdi aktiboa eta osasuntsua sustatzeko.

• Parkourpark bat lagungarria da mota guztietako profilak parkourra egiten hasteko eta espazioaren inguruan komunitatea sortzeko.

• Espazio irekia eta erabilera librekoa izanik, parkean prestakuntza baliabideak eta baliabide hezitzaileak, doakoak eta birtualak instalatzen badira eta dinamizazio presentziala edo noiz behinkako

ekitaldi sozialak antolatzen badira, publikoa hazten da eta sistema bizirik mantentzen da.

• Sustatzaileek lehiaketa bat idazten dutenean, aipatutako Europako kalitatearen estandarra betetzeko eta gainerako arauak errespetatzeko eskatu beharko lukete eta positiboki baloratu beharko lituzkete hautagaiek eman ditzaketen gainerako kalitate eta segurtasun ziurtagiriak. Gainera, gida hau eskuragarri jarri beharko lukete proiektuaren jarraipena egiteko.

• Segurtasunean garrantzitsuena dena elementuak zuzen ainguratuta eta ziurtatuta egotea da; oztopo altuenen garaieran, inguratzen dituen erortzeko gunea eta instalatutako lurzoru babeslea eta akaberak gainbegiratu behar dira. Azkenik, material eta estaldura onenak hautatu behar dira.

• Erabilgarritasunean garrantzitsua dena oztopo mota ezberdinak ezin hobeto konbinatzea da; zehazki, oztopoen altuerak, distantziak eta beraien arteko konexioak. Hala, dentsitate eta aniztasun originaleko leku bakarra eta errepika ezina sortzen da.

Udalerrian parkourparkak ezartzeko gomendatutako pausoak eta ekintzak

• Proiektu guztiek UNE-EN 16899:2017 araua bete dezaten eskatzea, hala, proiektuak kalitate eta segurtasun gehiago izan ditzan, eta agiri hau ematea eta kontsultatzea.

• Proiektuaz besteko parkour adituen aholkuak jasotzea, erabilgarritasun eta interes handienak bermatzeko eta diseinuari edo formatuari lotutako akatsak ekiditeko.

• Obra bukatzean, eta publikoarentzat ireki baino lehen, erakunde edo aditu independente batek kalitatea eta segurtasuna egiaztatzeko idatzitako txostena egitea eta urtean behin ikuskaritzarako beste txosten berdinak egitea.

• Eremua hobeto aprobetxatzeko baliabideak ematea, hala nola bideo tutorialetarako estekak, eta dinamizazio ekitaldiak antolatzea, adibidez, inaugurazio ekitaldia edo urtero egiteko topaketak.

StreetMovement eta Mikkel Ruggard S Studıoren diseinua eta argazkiak.
Eskubide guztiak erreserbatuta.

Bizkaia
foru aldundia
diputación foral

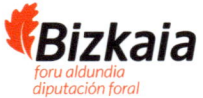

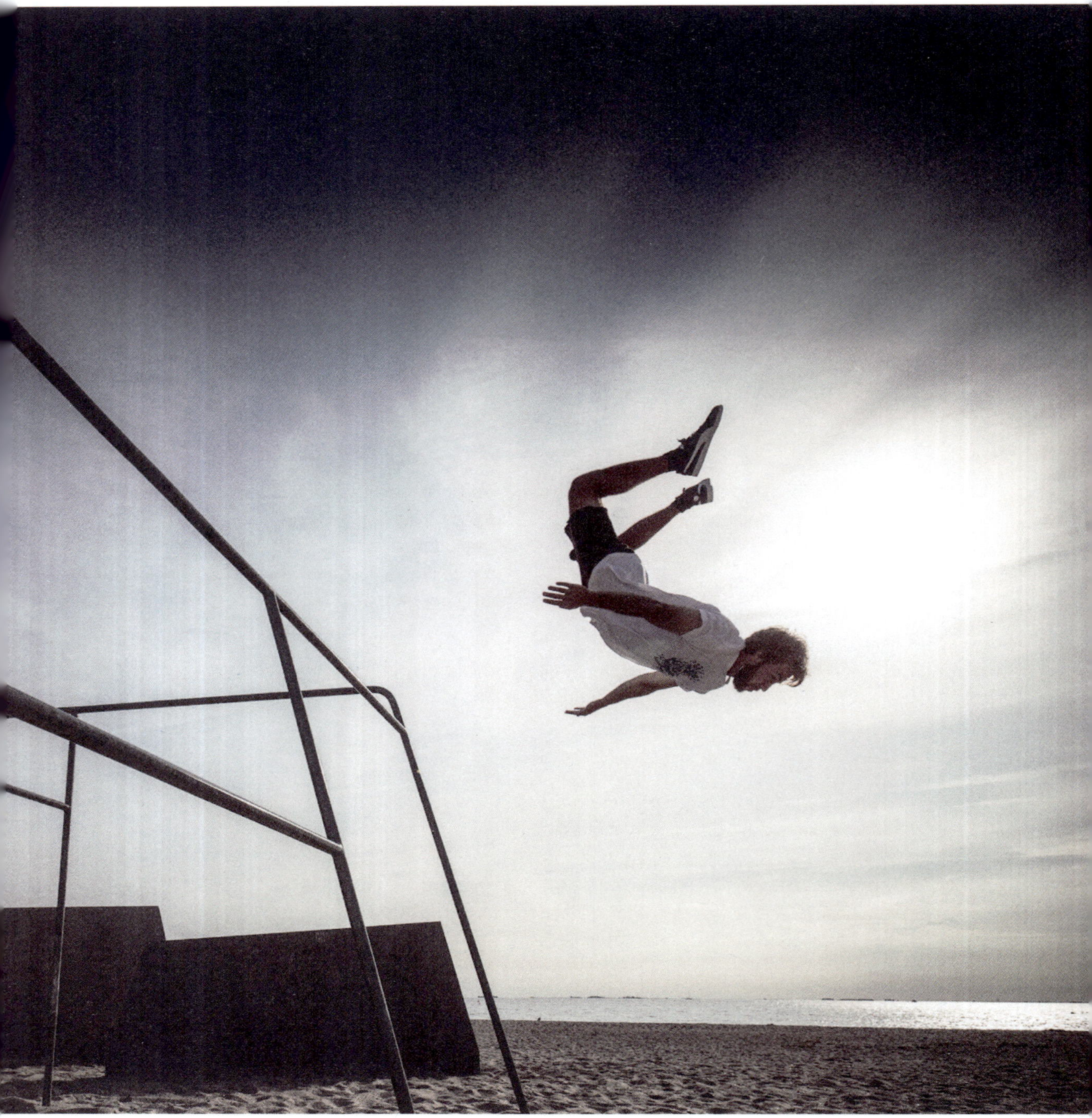

PARKOUR
PARKEEN
GIDA

PARKOUR
PARKEEN
GIDA

Bizkaia
foru aldundia
diputación foral